МИХАИЛ
МАРТ

МИХАИЛ МАРТ

ПРОКЛЯТОЕ СЕМЯ

АСТ
Москва

УДК 821.161.1-312.4
ББК 84(2Рос=Рус)6-44
М29

Оформление — *Яна Половцева*

Март, Михаил.

М29   Проклятое семя : [роман] / Михаил Март. —
Москва : АСТ, 2015. — 320 с. — (Мэтр криминального романа).

ISBN 978-5-17-084627-6

Роман Заболоцкий — талантливый врач с большим будущим. В одночасье вся его привычная жизнь рушится как карточный домик: связь с замужней женщиной по имени Марго приводит к ужасным последствиям. Муж Маргоши, подполковник милиции, застав жену с другим мужчиной, обвиняет Романа в изнасиловании. Защищая свою честь и карьеру, Семен Пекарский решает повесить на Романа серию преступлений, что оборачивается шестью годами лишения свободы в колонии строгого режима...

УДК 821.161.1-312.4
ББК 84(2Рос=Рус)6-44

ГЛАВА ПЕРВАЯ

1

Мать дождалась сына после шестилетнего заключения и прожила еще несколько дней, после чего скончалась. Лечащий врач сказал Роману:

— Эта женщина обладала невероятной волей. По всем показаниям она должна была умереть года полтора назад. Одному богу известно, что ее держало на этом свете. Тут поневоле поверишь в ангела-хранителя.

Роман знал, что ее держало. Мать обещала его дождаться из заключения и дождалась.

Слегла она после приговора. Роман Заболоцкий получил шесть лет и отсидел от звонка до звонка.

Такого удара он не ждал. В одночасье вся его жизнь обрушилась, как карточный домик. Роман с юности любил приключения и острые ощущения. Прыгал со скал в море, носился на мотоцикле, ходил по узким карнизам высотных зданий, летал на дельтапланах над черной бездной, и все у него получалось. Однако была у него большая слабость — женщины. Это то, что делало его уязвимым.

При всех своих отчаянных талантах профессию он выбрал себе самую мирную и благородную. Окончив медицинский институт, Роман стал врачом, а к тридцати годам защитил диссертацию и заведовал отделением травматологии в одной из центральных московских больниц. Мать им гордилась. Отец до тех дней не дожил.

И вот это случилось. Марго стала его главной слабостью. Женщина не была красавицей, но имела очень соблазнительные формы. Иногда Роман похаживал к ней, соблюдая все предосторожности, так как она была замужем. Однажды муж застал свою жену в постели с Романом. Даже не в постели, а на ковре в гостиной. Любовники любили экзотику. Марго тут же нашлась и закричала: «Насилуют!» Муж оглушил обидчика чем-то тяжелым и вызвал милицию. «Насильника» скрутили, а муж позвал своего приятеля в свидетели. Будто он с ним вернулся домой и увидел все это безобразие. Приятель тоже был офицером милиции и стал важным свидетелем.

Суд превратился в посмешище. Женщина рассказывала небылицы: насильник проник в квартиру женщины под видом электрика и, угрожая ножом, заставил раздеться и вступить с ним в половую связь. Столовый нож с отпечатками пальцев Романа тоже нашелся. Марго поверили. Ничего не помогло. Роман назвал ее имя, фамилию и даже дни, когда посещал любовницу. Его обвинили в том, что он заранее намечал свои жертвы и поэтому знал о них все. Нашли и других потерпевших со схожими ситуациями, когда насильник представлялся электриком. Но жертвы Романа не опознали. Серийного маньяка из него сделать не удалось. С учетом блестящих характеристик и не имея судимостей, ему инкриминировали лишь один эпизод и приговорили к шести годам лишения свободы в колонии строгого режима.

Потом выяснились некоторые детали. Муж Маргариты служил в милиции и знал о разгуливающем на свободе маньяке по кличке Монтер. Так и родилась идея про электрика. Вероятно, он знал и о слабостях своей жены. Через три месяца после суда он с ней развелся. Носить рога оперуполномоченный не желал и быть посмешищем тоже. Он защищал свою честь и карьеру.

В колонии Романа использовали по профессии, определили в санчасть фельдшером. Там он спас жизнь известному вору в законе Шершню. Тот получил при побеге две пули в спину, и на нем поставили крест. Но Роман сумел вытащить авторитета с того света. С тех пор Шершень зауважал доктора, несмотря на его статью, с которой в колонии жить непросто. Шершню добавили срок, но этот факт его не волновал. Тюрьма давно уже стала его родным домом. А Романа старый вор взял под свое крыло и преподал ему не один полезный урок. Так зэк Заболоцкий окончил еще один университет под руководством профессора криминального мира.

...После суда у матери случился инфаркт. Последовали осложнения. Она превратилась в инвалида. Но и без болезней ей пришлось бы уйти на пенсию. Мать Романа была одним из лучших криминалистов области. И даже после осуждения сына она осталась на службе. Отношение коллег к ней не изменилось. Ни одного упрека не услышала Ирина Заболоцкая в свой адрес. Ее любили и уважали по-прежнему, но она замкнулась в себе. Угасала на глазах. Вот только сын о ее страданиях ничего не знал. А соседи, с которыми Ирина поддерживала связь, считали, что Роман завербовался на Север и укатил за длинным рублем.

Отбыв срок, Роман вернулся. Его встретила умирающая мать. Жизнь потеряла для него всякий смысл. В тридцать шесть лет он почувствовал себя глубоким стариком, живущим прошлым и не имеющим будущего.

— Не унывай, сынок, — тихо сказала мать. — Ты должен начать новую жизнь. Она должна сложиться. Нельзя опускать руки. Это приведет тебя к погибели. Ты сильный, молодой, красивый. У тебя все получится. Я уверена в этом. Только не будь мстительным, как твой отец.

Он понимал мать. Но сегодняшний опыт ему подсказывал: чтобы возродиться для жизни, надо исчезнуть. У Романа Заболоцкого с его черными пятнами на биографии нет будущего. К жизни должен вернуться человек с новым именем и не там, где его все знают.

Идея безобидная. Он остался один в прекрасной двухкомнатной квартире на Ленинградском проспекте, рядом с гостиницей «Советская», в хорошем сталинском доме. Опасное жилье. Сидя за решеткой, Роман много читал материалов про «черных маклеров», которые убивали одиноких людей ради заветных метров. В основном в сети аферистов и убийц попадались алкоголики и пенсионеры. Сидя на нарах с кружкой чифиря, Шершень часто рассказывал о подобных преступлениях. Он любил раскладывать по полочкам детали и подробности и точно определял, на чем преступники прокалывались. Дела черных маклеров он тоже обсуждал с Романом, но они его не занимали. Находились более интересные темы.

Мать Романа не подвергалась нападкам черных риелторов. Ее прославленное прошлое было известно преступникам. Подполковник милиции, известный криминалист — с такими опасно связываться.

Нужен обмен, решил Роман. Он подал объявление в газету. Все решил делать сам, никаких посредников. Этот принцип стал для него законом. Обычная воровская истина: «Не верь, не бойся, не проси!» Роман стал очень осторожным человеком. Он хорошо помнил все уроки знаменитого вора в законе Шершня, но помнил и уроки своей матери. В то далекое время они его не очень-то интересовали, но отложились в памяти. Ирина мечтала, чтобы сын пошел по ее стопам, но Рома выбрал себе другую профессию и стал консультировать родную мать. Она приносила домой многотомные уголовные дела, и они их разбирали. И вот однажды он сделал небольшое открытие.

— Твоя ошибка, мама, в том, что ты ставишь ошибочный диагноз. Клюешь на очевидные вещи.

Мать возражала:

— Вскрытие подтвердило наше заключение. Жертва погибла в результате асфиксии.

— Диагноз правильный. Но чтобы задушить такого здоровяка, нужна непомерная сила. А в агонии у человека происходит прилив сил. Один смертельно раненный солдат на фронте сумел столкнуть с места шесть вагонов и загнать их в тоннель, после чего умер. Задушить мужика ростом в метр девяносто и в сто двадцать килограммов весом один человек не мог. Тут пятерых мало. А ты даже следов борьбы не обнаружила. Ищи на теле след от укола. Такого парня можно задушить только в бессознательном состоянии. Ему что-то вкололи. Вариантов может быть много. Снотворное, клофелин. Есть лекарства, следов которых вы не найдете. Но след от укола должен остаться. Мало того, укол ему мог сделать человек, которому он доверял.

Мать прислушалась к сыну. Преступление было раскрыто. Жертву придушила его жена, нежная, хрупкая женщина, не входившая в число подозреваемых. Этот случай Роман запомнил.

Жизнь текла медленно и тоскливо. Роман занимался обменом квартиры и больше ничем. Он готовил себя к чему-то, но сам не знал к чему. Пересмотрев десятки вариантов разных квартир, он ничего так и не подобрал. Ему даже предлагали предоплату, а в деньгах он остро нуждался. Нет. Его всегда что-то не устраивало.

Одно из предложений его заинтересовало, а точнее, хозяин квартиры. Мужчина лет тридцати, и, судя по всему, в деньгах не нуждающийся. И квартира, которую он предлагал, была равноценной: в районе центра и тоже в сталинском доме. Парня звали Никита Корзун. Общительный, легкий на подъем, немного суетливый, деловой, не жадный.

— Я готов тебе приплатить, Рома. Вижу, ты не горишь желанием со мной меняться, а я горю. Объяснение простое. Я играю на бегах. Это мой бизнес. У меня на ипподроме большие связи. Я делаю ставки по точной наводке и сгребаю хороший куш. Приходится сдавать шестьдесят процентов выручки в конюшню, но мне и сорока хватает. Твоя квартира напротив ипподрома. Можно сказать, я там живу. Кладу на стол двести тысяч долларов, если ты оформишь все документы за неделю.

— Врагов у тебя много, Никита? — неожиданно спросил Роман.

Тот едва не подавился. Они сидели на кухне в доме Романа и распивали водку. Интеллигентно, рюмочками и с хорошей закуской.

— Прямых врагов нет. Но есть сволочи, готовые занять мое место. Но у них ничего не получится. На конюшне я человек проверенный. Там только со своими имеют дело.

— Смена квартиры тебе поможет? — спросил Роман.

— Поможет. А тебя никто не тронет. Ты же не при делах.

— Обмен тебя не спасет. Его можно пробить по базам. Нужна сделка купли-продажи. Я покупаю твою квартиру, а ты мою. Собственники жилья проходят только через БТИ.

— Я ни черта в этом деле не смыслю. У меня сезон. Времени в обрез. Ты можешь взять на себя все хлопоты? Добавлю еще двадцать тысяч. А?

— Ладно, Никита. Я все сделаю. Завтра расплатишься со мной. Деньги мне понадобятся. И составишь на меня доверенность. Нужны документы на твою квартиру и паспорт.

— Одно уточнение, Рома. С документами нет проблем. Ты мужик интеллигентный, я тебе доверяю. Но ты получишь сто двадцать тысяч в качестве аванса. Еще сто — при оформлении всех документов.

— Я тебе тоже доверяю. Завтра привезу нужные бланки, и ты их заполнишь.

— Я буду ждать тебя на даче. Есть у меня домик под Москвой. Станция Расторгуево, далее на автобусе до Лопатина. В четыре часа буду на остановке. Ехать двадцать минут. А от Павелецкой до Расторгуева тридцать пять. Рассчитай время.

— Я буду, — сказал Роман.

Никита улыбнулся и разлил водку по рюмкам.

* * *

Идея пришла ему в голову случайно. Роман зашел в паспортный стол, имея при себе все нужные документы. Он обратил внимание на фотографию в паспорте Никиты. Она сделана в двадцатипятилетнем возрасте, более десяти лет назад. В то время они были чем-то похожи, а если ему затемнить волосы и отрастить усы, то трудно придраться. За десять лет люди меняются.

Он подошел к окошку, где сидела паспортистка.

— Девушка, я потерял паспорт. Или его украли. Точно не знаю.

— Напишите заявление и принесите четыре фотографии. Придется заплатить штраф. Когда утеряли документ?

— Трудно сказать. Он мне был без надобности. А сейчас решил обменять квартиру, сунулся, а паспорта нет.

Она взглянула на него. Симпатичный мужик, улыбка приятная, и взгляд как у нашкодившего мальчугана.

— Ладно. Без штрафа можно обойтись.

Он ушел довольным, но еще не понимал, чего добился. Идеи исходили из подсознания, от внутреннего «я», с которым он еще не научился обращаться. Это были односторонние импульсы, вспыхивающие в его мозгу, словно вспышки фейерверка. Идея схвачена. Необходимо воплотить ее в жизнь. Главное, не суетиться.

Перекрашивать волосы Роман не стал, усы тоже не отращивал. Он купил несколько качественных париков разного цвета. У гримерши из театра приобрел три комплекта усов и четыре бородки разных фасонов. За двести долларов ему могли отдать и больше, но он взял лишь клей к своему комплекту. Заказал три пары очков. Подсевшее зрение ему не мешало, однако небольшая диоптрия в плюс один ему подошла.

Фотографии на паспорт ему понравились. Он научился расписываться в соответствии с подписью в паспорте Никиты. Через две недели он получил на руки новый паспорт на имя Никиты Корзуна со своей фотографией.

И что теперь? А теперь надо ждать гостей, которых Никита не хотел видеть. Пришлось переехать на его квартиру, пока маклер жил на даче. Он явно кого-то боялся. И они пришли.

Их было двое. Крепкие, здоровые ребята. Роман понимал простую вещь. Если он будет свидетелем, то его уберут. Надо работать под лоха.

— Привет, — улыбнулся высокий амбал со скуластой мордой. — Нам нужен Никита.

— Зять живет на даче, — улыбаясь, ответил Роман.

Его отстранили в сторону и прошли в квартиру. Осмотрели ее быстро и профессионально. Вероятно, эти здоровяки были бывшими ментами, а может, и нынешними.

— Деньги в квартире есть? — спросил рыжий, тот, что пониже ростом.

— Спасибо, что зять меня вообще на порог пустил, квартиру доверил. Я же сидел. Если у него и есть что-то ценное, то с собой прихватил.

— Зять, говоришь? — спросил скуластый, осматриваясь.

— Да. Муж сестры. Мы из Саратова на недельку приехали. Жена в магазин ушла. Отоваримся и домой. Уже билеты купили.

— Адрес дачи знаешь? — поинтересовался рыжий.

— Был там один раз. Расторгуево по Павелецкой дороге. Автобус до Лопатина, а там пешком через лес, до деревни Спирово. Не дача, а сараюга, зато участок большой. Третий дом по правой стороне. В деревне только одна улица. Всего-то домов сорок. Но народу там много ходит. В лес за грибами только через Спирово пройти можно. Многие хозяйки коз имеют. Так к ним за молочком из всех деревень ходят. Одним словом — проходной двор.

Роман дал им точную и подробную наводку, изображая наивного дурачка. Они не станут с ним связываться, имея определенную цель. Жена, ушедшая в магазин, скоро вернется. К тому же родственники не местные и скоро уезжают. Они не опасны.

— Вы же его на ипподроме найти можете, — добавил Роман.

— Наверное, — ответил Рыжий. — Но он там уже три дня не появляется. Вот мы и беспокоимся.

Роман понял: Никита должен исчезнуть бесследно. Его ищут.

— Пьет небось. Загулял, — отмахнулся Роман.

— Он непьющий и некурящий, — насторожился скуластый.

Роман рассмеялся.

— Держался. Он же закодированный. Пять лет крепился. А тут сорвался. Мы же на даче два дня гудели. Меня жена в Москву увезла, а Никита остался.

На этом их разговор был закончен. Мордовороты получили всю нужную информацию. Ушли спокойно, да еще привет Никите передали, если тот объявится. Но Роман знал, Никита никогда уже не объявится. Теперь он стал Никитой Корзуном.

* * *

У него имелись два паспорта, две квартиры и дача, на которую он все еще не решался съездить. Обе квартиры Роман продал за большие деньги. Причем с нагрузкой. Покупатели были вынуждены заплатить за мебель. Неплохую, но уже не модную. Это было его условием.

— Мебель качественная и дорогая. Некоторые предметы сделаны из карельской березы. Рука не поднимается ее выбрасывать. Но я уезжаю из Москвы. Навсегда. Нашел работу по душе и призванию, но далеко от столицы. Оставляю здесь все.

Так он говорил покупателям.

Ради престижных квартир покупателям пришлось платить и за мебель. Роман-Никита купил себе две однокомнатные квартиры в разных районах. Обе по документам Никиты. Одну надо будет переписать на другое имя, чтобы ее уже не смогли вычислить. Но Роман никому не доверял. Надо выждать время. Квартира в районе Марьино пустовала. Он купил туда только кровать и постельное белье. Квартиру в Кузьминках он скромно обставил. Первый этап своего перерождения Роман закончил. Но он еще был далек от полной свободы.

Однажды, сидя дома, он начал разбирать чемоданы. Свои старые вещи Роман выбросил, купил себе все новое и сменил стиль. Материны вещи оставил на память. Они уместились в двух чемоданах, в том числе и милицейский китель с подполковничьими погонами, альбомы с фотографиями, письма, открытки и прочая мелочь, включая духи «Красная Москва». Но в его доме вещей матери не должно быть. Их надо перевезти в Марьино. Там можно сделать музей Матери и развесить ее фотографии на стенах. Хорошая мысль.

Случайно он наткнулся на заклеенный конверт с надписью «Моему сыну». Мать ему ничего не говорила о письме. Оно сохранилось по чистой случайности, и лишь потому, что Роман ничего не выбросил.

Он распечатал конверт. В нем лежало письмо и ключ с номером. Роман развернул бумагу.

«Дорогой сынок!

Когда ты будешь читать это письмо, то я уже буду лежать в могиле. Не уверена, что ты его найдешь. Но если оно попадет тебе в руки, то значит, так и должно было случиться. Во время следствия одного очень странного дела я украла важную улику. Правда, ее никто и не искал. Следователь преследовал только одну цель — посадить подозреваемого. Ему удалось сделать больше. Он убил подследственного. Заставил его принять яд. И у следователя были на такую расправу веские причины. Улику мне сдал сообщник убийц, но я не включила ее в протокол. Должна признаться, что сделала это умышленно.

Я хотела разделаться с теми, кто засадил тебя в тюрьму. И сделала это. Просто я тебя опередила. Себя я убила тем же методом. Дождалась тебя и со спокойной душой покинула мир живых. Ключ, который лежит в конверте, от банковской ячейки в Альфа-банке. Она записана на твое имя. Аренда уплачена за год. Там ты все найдешь и поймешь. Ты же прекрасный врач. Если тебе потребуются консультации, то обратись к доценту Игорю Прусакову из НИИ им. Менделеева. Он надежный парень. Я с ним разговаривала как эксперт-криминалист. Он меня помнит. Его диссертация называется «Действия природных ядов на организм человека». Остальное додумаешь сам.

Прощай, милый. Ты был всем в моей жизни.

P.S. Дело отравителя было засекречено и отправлено в архив. Московские криминалисты с ним не знакомы. Следователь вышел в отставку».

Роман перечитал письмо и убрал его в карман. Его охватил ужас. Он лично хотел проучить Марго и ее мужа, усадившего его на шесть лет за решетку. Теперь он узнает, что его мать все сделала за него. Но как? Она идеальная женщина! Она их наказала. В тюрьму он попал по ложному обвинению. С ним разделались, как с мальчишкой. Он потерял любимую профессию, получил клеймо на всю жизнь, а главное — лишился самого дорогого человека. Такое не прощается.

* * *

В банковской ячейке лежал портфель-дипломат из дорогой рифленой кожи. Роман не стал интересоваться его содержимым в банке, а поехал на свою конспиративную квартиру в Марьино. Он знал, что за ним никто не следит. С другой стороны, старался оставаться незамеченным. Он помнил наказ старого вора: «Учись на чужих ошибках, за свои тебе придется сидеть на нарах».

Преступник, подобно саперу, ошибается только один раз в жизни. Роман еще не стал преступником, но уже отсидел ни за что шесть лет из своей и без того короткой жизни. Трудно сказать, какие чувства он переживал. Он и сам в себе до конца не разобрался. Письмо матери выбило его из седла. Роман еще не осмыслил его до конца. Что это? Крик отчаяния? Напутствие? Предостережение?

Когда Роман открыл портфель, то замер, глядя на его содержимое. Предметов в нем лежало немного, но они не подходили ему. Точнее сказать, посылка от матери показалась ему странной. Никелированный пистолет бросался в глаза. Красивая игрушка с перламутровой ручкой. На нем висела бирка «Музей МВД СССР». Ниже подпись фиолетовыми чернилами: «Конфискован из частной коллекции за отсутствием регистрации. Не идентифицирован. Складирован 15.03.57 г.». Тут же в портфеле лежало две полные обоймы и коробка с патронами немецкого производства. Оружие хорошо смазано, и вероятно, им никогда не пользовались. Система «вальтер П-38». Об этом пистолете ходили легенды. Но этот «вальтер» был укороченным, облегченным и, вероятно, считался подарочным вариантом либо предназначался для женщин, генеральских жен. Не зря же такую диковину хранили в коллекции, а потом конфисковали. Его мамочка тоже поддалась соблазну и какими-то хитростями стянула игрушку из музея. Но зачем?

Роман отложил пистолет в сторону. В портфеле лежала пробирка больших размеров в палец толщиной и сантиметров пятнадцать длиной. В ней хранился темный кристаллический порошок, похожий на марганцовку. Полная пробирка, закрытая резиновой пробкой. На стекле значились три буквы, сделанные фломастером: «ТТХ». Рядом лежал своеобразный чехол для пробирки. Обычный алюминиевый кожух с накручивающейся пробкой. Судя по надписи, он должен хранить в себе кубинскую сигару «Ромео и Джульетта». Сигары в контейнере не нашлось, но пробирка там умещалась, будто для нее и предназначалась. Любопытная задумка, усмехнулся Роман. Пробирку он тоже отложил в сторону. В портфеле остался запечатанный конверт размером с писчий лист бумаги и папка. Он начал с конверта. На стол высыпались листы бумаги и фотография. На снимке был изображен ничем не примечательный старик лет семидесяти с лукавым взглядом. На обратной стороне значился его московский адрес и телефон. На нескольких листах бумаги содержалось любопытное досье на старичка.

«Самопровозглашенный вор в законе Матвей Николаевич Огарков. По подлинным документам. Других имен и фамилий у него много. Негласный король криминального мира. Непререкаемый авторитет среди воров старой формации. Не коронован. Чтобы стать вором в законе, требуются отсидки. Матвей не провел в зоне ни одного дня. Наколок тоже не имеет. Аристократ. Основные операции проворачивает с предметами антиквариата и искусства. Виртуоз в своем деле. Его сын — гениальный копиист. Документы тоже делает на любой вкус. Задерживался десятки раз. Доказательной базы нет. Может служить консультантом.

P.S. Я относилась к нему с большим уважением, а потому весь собранный на него компромат уничтожила. Он об этом знает. Полагаю, ценит!»

Роману осталось просмотреть только папку, но он отложил все бумаги и сел на диван. Его мучил один вопрос. Зачем мать оставила ему этот портфель? Портфель-бомба! Озлобленный на весь мир зэк выходит из тюрьмы, а ему преподносят подарочек. Тут тебе и пистолет с патронами, и яд, о котором уже слышал, досье на криминального консультанта, готового помочь... Чертовщина какая-то! И от кого? От ветерана милиции, самой справедливой и правильной женщины. От матери, которая умоляла его не мстить врагам. Они уже получили свое.

Исходя из примитивной справедливости, он должен совершить преступление, за которое отсидел впустую. Выходя на свободу, зэк может вздохнуть свободно. Он отбыл наказание. Как жить дальше — его дело. Сам поломал себе жизнь. Теперь крутись. А если ты ее не ломал?

Тебя сломали. А если ты не виновен? За что сидел?!

Месть входила в его планы. Он шесть лет ждал своего часа. Дождался. Только мстить некому. Или он чего-то не понял?

Роман вернулся к портфелю и взял папку.

В ней лежали ксерокопии допросов кандидата химических наук с неразборчивой фамилией. Немного эпизодов из разных страниц. Тут ничего не говорилось о преступлении, речь шла лишь о каких-то разработках. На каждой странице стоял штамп «Секретно».

Роман начал перелистывать протоколы допроса:

«...никаких новых открытий я не сделал. Они были сделаны задолго до меня. Кошмарными колдунами Вуду. Кровь, растолченные кости мертвецов — это лишь антураж. Я бывал на Гаити и видел, как это делается. Нас допустили к ритуалам достаточно близко благодаря моему другу врачу. Он вылечил любимую жену вождя одного из племен. Нас носили на руках, в то время как других белых исследователей убили и их головы высушили на копьях.

— В чем же заключается их магия? Мы слышали сказки о зомби, но это же бред. Мертвые не встают из своих могил, — поинтересовался следователь.

— Встают. Почему вас не удивляют медведи? Животное весом в полтонны уходит в берлогу и спит всю зиму без воды и пищи, а потом выходит из нее крепким и здоровым. Они тоже зомби? Возможность длительного поддержания жизни у теплокровных в условиях минимальных затрат энергии — самая интересная проблема биологии. Наши умы видят результаты, но не могут расшифровать этот феномен. В природе существует естественное поддержание жизни при зимней спячке. В этот период уровень обмена веществ снижается в сто, а то и в сто пятьдесят раз. При этом все системы организма работают согласованно. Но существуют и летние спячки. Например, у тропических рыб. У берегов Гаити водится иглобрюхая рыба, в тех местах ее называют рыбой-жабой. В Японии она называется фугу. Яд этой рыбы очень опасен. Он содержится в коже, печени и костях. Колдуны Гаити высушивают эту рыбу, достают кости, печень и перетирают в ступке. Яд готов. И у него есть свое название. Тетродотоксин. ТТХ. Действие яда узкоизбирательно. Механизм действия на нервную ткань заключается в том, что он прекращает подачу нервного импульса, блокируя движение ионов натрия сквозь оболочку нервных клеток. Для понимания скажу просто. Стопроцентный паралич тела при полном сохранении сознания. Выжившие после отравления люди рассказывали, что слышали и ощущали все вокруг себя, но не могли ни двигаться, ни говорить. Именно это утверждают все похороненные заживо на Гаити. В итоге все зависит от дозы, которую трудно рассчитать. Из яда можно сделать обычное болеутоляющее. Из фугу японцы научились делать наркотики. Но можно и убить человека. Но даже живого вы примете за мертвого, если не сделаете вскрытие. При таком снижении уровня обмена веществ вы не определите пульс человека и его дыхание. Этот яд упоминается в трудах ученых с двадцатых годов прошлого века. Ничего нового. Только в нашей стране выращиваются люди-растения, не знающие ничего, что творится на земном шаре. И это с нашими-то талантами. Я прорвался. И успех не заставил себя ждать. Мое открытие заключается в том, что я сумел создать противоядие. Иначе говоря, пробудить человека от спячки...»

Роман отбросил бумаги в сторону. Он не мог понять, для чего ему все это нужно. На найденной в портфеле пробирке стояли буквы «ТТХ». Значит, это и есть тетродотоксин. Но он не собирался никого убивать.

2

Два года назад

На такой случай никто не может рассчитывать. Рита была вынуждена бросить своего богатенького клиента. Она прошла в туалет ресторана и смыла с себя вульгарный макияж, а парик сунула в сумочку. Волосы были сколоты заколкой, она их распустила и расчесала. Яркую бижутерию тоже пришлось снять. Остался лишь яркий наряд с коротким платьем, но тут можно отвертеться. Осмотрев себя в зеркало, она еще раз поразилась. Это шанс. Сначала испуг, потом удивление, а в итоге ее безумная голова родила сумасшедшую идею. А может, она вовсе не сумасшедшая, если человек день и ночь думает, как бы спасти свою шкуру, которая ему вовсе не безразлична.

Девушка вернулась в зал. В таком виде она вряд ли кого соблазнит. Но мужчины продолжали заглядываться на ее ноги. Жаль, что у нее не было очков. В них она могла бы сойти за учительницу начальных классов. Рита умела менять маски, перевоплощаясь в разных женщин. Талант. Но актрисой она быть не собиралась, даже не мечтала. Там нужно работать, а она презирала труд, если он не доставляет удовольствия.

Она подошла к знакомому официанту и сказала:

— Герочка, сделай одолжение.

Он глянул на нее и не сразу узнал.

— Бог мой! Что с тобой? Тебя общипали, чтобы в суп бросить?

— Не хами, засранец. За столиком у окна сидит моя копия с двумя подружками. Я хочу с ней поговорить тет-а-тет. Без свидетелей. Сяду за дальний столик, который ты для Кота держишь. Не дергайся. Ненадолго. Принесешь нам бутылку шампанского. Приведи мне эту кралю, но потихому и без хвостов.

Она сунула ему стодолларовую купюру в нагрудный карман.

В зале стоял полумрак, прожекторами освещалась лишь танцплощадка, по которой шмыгали парочки, облизывая друг друга. Оркестр играл медленные блюзы. Фешенебельный ресторан не рассчитывал на бедную молодежь. Тут проводили время люди с большими деньгами и связями. Кто-то водил сюда любовниц, кто-то решал вопросы, связанные с бизнесом, а кто-то охотился на дорогих шлюх. Дорогая посуда, белые скатерти, свечи и цветы на столах. Тихо, мило и уютно.

Рита подошла к нужному столику, села и убрала табличку «Заказано».

Через несколько минут официант подвел к ней девушку. Увидев ее ближе, она еще больше поразилась.

— Себя как в зеркале я вижу, но это зеркало мне льстит.

— Отзыв Пушкина на свой портрет, адресованный художнику Кипренскому.

— А ты умная девушка. Присаживайся. Долго я тебя не задержу. Принеси нам по бокалу шампанского, Гера. Надо выпить за встречу.

— У меня там подруги...

— Подождут. Не на морозе стоят.

Девушка начала вглядываться в незнакомку и медленно присела на стул. Официант отошел.

— Бог мой, вы же на меня похожи!

— Кто на кого, еще вопрос. Думаю, мы его решим. Как тебя зовут?

— Снежана.

— Тоже с выкрутасами. Я Маргарита. Сколько тебе лет?

— Двадцать шесть.

— Ровесницы. Полагаю, из одного роддома. Таких совпадений в природе не бывает, сестренка. У тебя даже фигура моя и цвет глаз. Вся разница в том, что ты крашеная блондинка, а я люблю рыжий цвет.

— Родители мне ничего не говорили о сестре.

— И правильно делали. Они от меня отказались, а тебя взяли. Двойни испугались. Меня отправили в дом малютки, потом в дом ребенка, после чего я оказалась в детском доме. Я докопалась до роддома, но дальше мне прищемили нос. О своей матери я так ничего и не узнала.

— Послушай, Рита, мои родители были богатыми людьми. Денег в доме всегда хватало. Они не могли отказаться от ребенка.

— Докопаюсь. Архивы целы.

— Но если они тебя бросили, то Бог их наказал за это.

У Снежаны выступили слезы на глазах. Маргарита поразилась. Ее сестра все еще ребенок. Сентиментальная дуреха, выросшая под маменькиным крылышком.

— Это же чудо! У меня есть сестра. Я чувствовала, что не одна на этом свете. Иногда у меня возникали невероятные волнения ни с того ни с сего, будто кому-то близкому очень плохо. Сердце кололо. Я всю жизнь нуждалась в сестре или брате. Мне хотелось о ком-то заботиться и кого-то любить, — скороговоркой пролепетала Снежана.

— А я нуждалась в том, чтобы меня любили, а в глазах стоят ремни и розги. Я научилась лишь ненавидеть. Что такое родня, мне неизвестно и непонятно. До тех пор, пока не родила. С дочерью сидит старуха. Я ее называю матерью. Старую мошенницу, прожившую жизнь в тюрьмах, семь лет назад освободили. Идти некуда. Я взяла ее в няньки. Она прилепилась к дочери, как банный лист, и теперь уже не оторвешь. Своих детей у нее отродясь не было. И вдруг материнский инстинкт у ведьмы проснулся. Грехи таким образом замаливает. Но это не тема для разговора. Ты мне о своих расскажи.

— Отец был военным летчиком. До генерала дорос. В Жуковской академии преподавал. Денег хватало. Пятикомнатная квартира в генеральском доме на Таганке, мебель из карельской березы, хрустальные люстры. Мать всю жизнь гонялась за вещами. Ее больше ничего не интересовало. Как и твоя дочь, я сидела с няньками. Точнее, с гувернантками. Жеманные дамочки со знанием нескольких языков и безупречным воспитанием. Чему и меня учили. Успешно. Я свободно разговариваю на трех языках. Я имела все, что хотела. Но Бог нас всех наказал за тебя. Однажды мы возвращались из гостей. Отец был пьян. Машину занесло на скользкой дороге, и мы врезались в забор. Отец насмерть, мать осталась инвалидом, теперь на коляске передвигается. Мне тоже досталось.

Снежана задрала платье и раздвинула ноги. Кошмарный шрам в двадцать сантиметров проходил по ее левой ноге от плавок и чуть ли не до колена.

— Да, — протянула Рита. — С такими ножками трудно соблазнить мужика.

— А у меня их и не было.

Она резко одернула платье.

— Ты шутишь? — удивилась Рита.

— Я даже на пляж не хожу. А мужиков боюсь как огня. Как только представлю себе, как парень мне юбку задирает, меня холодный пот прошибает.

— А хочется? — усмехнулась Рита.

— Страх превратился в инстинкт, и он сильнее любого желания. Я ненавижу свою мать и погибшего отца. Они порвали мою жизнь, как старую газету, на клочки. А ты не хочешь познакомиться со своей настоящей мамашей? Она получит настоящую оплеуху.

— Рано еще. Потерпи. Придет время, и я с ней встречусь. А пока о нашей встрече никому не рассказывай. Надо подумать, какую пользу мы можем получить от безумного сходства. Оставь мне свой адрес и телефон. Я тебя найду сама, когда осознаю случившееся. Иди. Твои подруги уже оглядываются.

— Да это не подруги, а так. Вместе учились в университете. Любка хотела собрать весь курс на свой день рождения, но нашла только меня и Юльку. Мы три года не виделись. Ты себе не представляешь, как я рада тебя видеть. Неужели все это правда?

— Я проверю.

— Буду с нетерпением ждать твоего звонка. Умоляю, не пропадай.

Снежана встала и направилась к своему столику. Рита смотрела ей вслед. Сестра выглядит моложе ее, свежее, чище. Жизнь ее не забрызгала грязью. А она, кроме грязи, ничего в жизни не видела. Почему так? Единоутробные дети. Одному все, другому ничего.

В этот вечер Рита ушла из ресторана одна в глубокой задумчивости. Она села в свою машину и поехала на съемную квартиру, где жила уже не первый год. Всю ночь просидела на кухне с бутылкой коньяка. В ее голове рождались сотни идей, как можно использовать собственную копию, но все замыслы отметались. Примитивные задумки. Из тюрьмы вышел ее бывший муженек и мечтает с ней рассчитаться. Кто-то его ловко обвел вокруг пальца и посадил. Семен свалил все грехи на нее. Будто она все подстроила, чтобы отомстить ему. Идиот! Он никогда Риту не интересовал. Она лишь боялась его, и все. А когда он ушел, лишь перекрестилась. Теперь этот псих жаждет мести. Но с ним нетрудно справиться с помощью его же дружка Ратехина, которому тот все еще доверяет. Сейчас нельзя торопиться. К такому делу должен быть особый подход.

Рано утром Рита переоделась в скромное пальтишко, сменила шпильки на невзрачные сапоги, села в свою машину и поехала в дом, где жила нянька с дочерью.

Машину оставила на платной стоянке, где у нее было свое оплачиваемое место. Дальше пшком. Два квартала и знакомый дом. Она зашла через подъезд с улицы, открыв замок. Все уличные двери по прихоти ЖЭКа были запечатаны. Причины не объяснялись. Она поднялась на чердак, прошла в соседний подъезд через крышу и на лифте спустилась вниз. На улицу вышла через дверь во двор. Она проделывала всю эту процедуру больше трех лет, когда заметила за собой слежку. Те, кто наблюдал за ней, приезжали пару раз в неделю и вели ее до места работы, а потом до дома. С ней ничего не происходило. Возможно, ждали удобного случая или нужного момента. Рита восемь лет была замужем за опытным оперативником и многому у него научилась. Слежку за собой она заметила после того, как с ее подачи посадили Романа Заболоцкого. Она обвинила его в изнасиловании. Но у нее выбора не было. Муж их застал. Жаль парня. Красивый, умный, интеллигентный. Он ей нравился, а других любовников она быстро забывала. Одна мелочь. Мать Романа работала на Петровке ведущим криминалистом. Очень уважаемая дама. В тот момент она находилась в Тобольске, где разыскивали опасного маньяка, иначе из затеи Риты ничего не получилось бы. Женщина вернулась в Москву, когда уже назначили день суда и выручать сыночка было уже поздно. Возможно, взбесившаяся мамаша решила поймать ее с очередным любовником. Поначалу Рита подозревала своего мужа. Но тот резко покатился вниз. Сначала его уволили, потом посадили. Вышвырнуть майора милиции на улицу непростое дело. Тут нужна сильная рука. Тогда-то она и догадалась, чьих это рук дело. Ратехин, друг мужа, молчал. Словно воды в рот набрал. А кто, как не он, мог полезть в гору, хотя на том же суде выступал свидетелем. Его попросту использовали для устранения Семена. А значит, и до него очередь дойдет, а потом и до нее. Держат на закуску.

Рита устроилась работать секретаршей в министерство к одному из своих клиентов. Но больше чем на месяц ее не хватило. Уволилась, но удостоверение не сдала. Теперь она по утрам ездила в министерство и выходила из него через разные выходы, после чего брала такси и ехала домой высыпаться после трудной ночи.

О ее второй жизни никто ничего не знал. Время и опыт научили осторожности. На чью-то помощь Рита тоже не рассчитывала. Друзьями не обзавелась. Юрка Ратехин трус и продажный тип. Бывший муж враг, другие мужчины, ограбленные и обманутые ею, тоже не из числа защитников. Дочь и сиделка тоже нуждались в защите. Рита привыкла к борьбе за выживание, рассчитывая только на свои силы. Если она первой не нанесет удар, то ее раздавят, как древесную лягушку грязными сапогами.

Теперь в ее жизни появилась Снежана. Безмозглая невинная девчонка, не знающая страха и не понимающая мира, в котором живет. Но девочка уже умеет ненавидеть. Рита помнила, с какими глазами она говорила о своей матери.

Тут есть над чем подумать. Есть.

* * *

Выйдя через черный ход во двор министерства, она прошла через ворота в боковой переулок, поймала такси и отправилась в роддом. Однажды она там была много лет назад, пытаясь выяснить, кем были ее настоящие родители. Ничего не получилось. Сейчас она знала, как надо действовать.

Небольшая взятка в сто долларов, и ей выдали адрес женщины, которая четверть века назад занимала должность заведующей родильным отделением.

Некая Ксения Климчук семь лет назад вышла на пенсию. Лучший врач района, ветеран труда и прекрасный человек. Усыновила четырех детей и вырастила их одна. Восторженные отзывы ничуть не смутили Риту. Она тут же поехала к чудесной женщине.

Дверь ей открыла сгорбленная старушка с добрыми глазами.

— Вы новая медсестра? — спросила хозяйка.

— Нет, бабушка. Вы Ксения Никифоровна?

— Она самая.

— Меня зовут Татьяной. Я модная ныне писательница. Детективы любите читать?

— Нет, милочка. Исторические книжки читаю. Но мало. Глаза быстро устают. А зачем я вам?

— Лучше будет, если я зайду, и мы попьем чайку и поболтаем. Вы ведь не торопитесь?

— Все мои на работе. Я обед готовлю. Но вы мне не помешаете. Живых писателей я еще не видела.

Рита зашла, разделась и прошла со старушкой на кухню. Про чай она больше не напоминала.

— Ксения Никифоровна, я начинаю писать книгу о сестрах-близнецах. Думаю, что сюжет будет интересным. У меня нет завязки. Хотела бы посоветоваться с вами.

— Бог с вами, милочка, какой же я советчик. Я ничего не смыслю в литературе.

Старушка принялась что-то помешивать в кастрюльке, а Рита присела на табуретку рядом и не сводила глаз с лица женщины.

— Сюжет построен на том, что близнецы выросли и даже не подозревают о существовании друг друга. Мне пришло в голову, что путаница произошла в роддоме. Я понимаю, такое невозможно, но вы эту систему знаете не понаслышке. Как такое могло случиться?

У старушки сразу же поменялся взгляд. В нем появились хитринка и острота.

— А я претендую на соавторство, — она хихикнула. — Шучу, конечно. Но консультации должны оплачиваться. Я права?

Бабулька не так проста, как кажется. Привыкла к подношениям. Оно и не удивительно.

Рита открыла сумочку и выложила на стол две пятитысячные купюры.

— Задаток. Если ваша история мне понравится, я доплачу.

— Ну, случаев таких очень мало. Но вот вам пример. У одной мамаши родились близнецы. Один ребенок здоров, второй родился с врожденным пороком сердца. Не жилец. Родители от него отказались. Кому нужны похороны сразу за рождением? Хватит одного горя... А ребеночек не умер благодаря нашим врачам. Через месяц мы его отдали в дом ребенка. Выжил, не выжил, я уже не знаю.

— Где-то я уже слышала похожую историю.

Старушка тут же спрятала деньги в карман, сцапав их со стола, как птичка мошку.

Рита достала из сумочки двадцать тысяч, но на стол класть не стала.

— Может, вспомните историю, происшедшую тридцать один год назад? Тогда родились две девочки. И их тоже разлучили.

Старушка накрыла кастрюлю крышкой и присела.

— Знаю, что тебя интересует, Танечка. Иначе

не приехала бы ко мне. Да и адрес тебе никто бы не дал. Пятьдесят тысяч обойдется тебе твое любопытство. У меня шестеро внуков, я и о них должна думать.

Рита достала деньги.

— Только не надо выдумывать, бабушка.

— Спустя столько лет эта история может заинтересовать только одну из сестер. Такие совпадения бывают крайне редко... Ничего ужасного не произошло. Мы не хотели никому зла. Во всем виноваты две смерти за одну ночь. Имен я не помню. У одной женщины умер ребенок. Случай рядовой. Но она была женой генерала. И родила в тридцать шесть лет. Последняя надежда. И в ту же ночь умерла женщина, родившая двойню. Преждевременные роды. Ее привезли из тюремного изолятора. Охрану выставили. Видать, тот еще фрукт. Девочки родились здоровыми. Одну из них мы и подсунули генеральше, а для второй матери не нашлось. Месяц держали в запаснике. Потом уже стало поздно подсовывать ее кому-нибудь. Пришлось сдать в приют. Но лучше одну, чем двух. Одной повезло, дочерью генерала стала, а не каторжанки без роду-племени. От кого покойная залетела — непонятно. Слышала, будто больше года сидела под следствием, ну, и дала надзирателю за пачку сигарет. Теперь не докопаешься. Труп сожгли. Могилы нет, и имени тоже. Она к нам под номером попала. Не человек, а номер. Ну? Теперь ты знаешь, кто твоя мамашка? Легче стало? Деньги оставь и ступай с Богом. Вид у тебя приличный, значит, повезло. Наследственность — коварная штука. Умершей девчонке и двадцати не было, а уже насквозь прогнила. Тюрьмы людей не красят.

Рита оставила деньги, встала и молча ушла. Остаток дня она провела в баре, пила водку, но не пьянела. Может быть, человеку не все знать обязательно? Меньше чем за сутки выяснилось, что у нее есть родная сестра, а ее мать была преступницей, об отце и думать нечего.

Сегодня она решила ночевать у дочери. Уложила девочку спать, но сама так и не легла, а сидела возле ее кровати и смотрела на спящего ребенка, будто видела впервые.

— Что из тебя вырастет, кукла? — тихо зашептала Рита. — Или уже выросло? Кто ж тебя знает. Малолетки очень талантливы. Среди них есть много преступников и гениев. Паскаль в двенадцать лет стал опытным математиком. У Моцарта музыкальный гений проявился в шесть лет от роду. А некоторые преступники стали ловкачами высшего класса еще до того, как выросли из коротких штанишек. Я осуществила свою первую кражу в восемь лет. Меня даже не заподозрили. Чудный обаятельный ребенок с голубыми глазами. Они не знали моей истории. Обвинили тех, чьи мамаши и папаши были лишены родительских прав, судимые прощелыги. Яблоко от яблони недалеко падает. Проклятая наследственность. Тебе, дочка, уже двенадцать. Ты красива, обаятельна и невинна. Но так ли? А как же гены? Это чушь, будто людей воспитывает среда и окружение. Дурное семя. Как ни удобряй и ни поливай, из него вырастет сорняк. Если человек родился на свет божий слепым, никакое окружение не научит его видеть.

Она еще долго что-то бормотала себе под нос, потом вышла на кухню.

Пожилая нянька, которую Рита всем представляла своей матерью, тоже не спала. Она сидела у окна, смотрела в темноту и курила свой «Беломор».

Рита достала водку из холодильника и, взяв с полки рюмки, села за стол.

— Скажи, Авдотья, а как дела в школе у Ляльки?

Женщина обернулась.

— У нее все в порядке. А вот ты сегодня на себя не похожа. Случилось чего?

— Со мной проблем не бывает. Уже взрослая. Умею оценивать риски. Меня Лялька беспокоит.

— Давно ли? Материнский инстинкт проснулся?

— Ну, хватит! Спрашиваю, отвечай.

— Да почем я знаю? Дети редко говорят правду. А Лялька ребенок скрытный. С ней по душам не поболтаешь. Читает много. В том числе порнографические журнальчики. Я ведь любой тайник найти могу. А девочке только двенадцать.

— Меня мужики с десяти интересовали. Это нормально. У нее уже грудь второго размера. Меня другое интересует.

— В школе воруют. Но кто же на отличницу подумает. Я тоже на нее не думаю. Вот только деньги она где-то берет. Я ей ничего не даю. Все на еду уходит.

— Буду давать больше. Пусть имеет деньги на мелкие расходы. И одевать ее надо приличней.

— Прозрела наконец-то. Не поздновато ли? Если она втянулась, то ее уже не остановишь. Один раз получилось, и нет больше преград. Грязь быстро прилипает. Смыть трудно.

— Не каркай, старая ведьма. Есть болезни неизлечимые. Они в крови сидят. Если упустили, то поздно делать припарки. Надо смириться. Одергивать бесполезно. Ее надо учить хитрости и осторожности. А в этих делах ты профессор. Но сначала поймай ее за руку, а потом входи в доверие.

Авдотья махнула рукой.

— Она сама научит тебя хитрости. У нее голова работает. Надо сделать ее сообщницей, тогда она пойдет за тобой.

— Не рано ли? — прищурилась Рита.

— Когда ее схватят за руку другие, уже поздно будет. Лялька порченое семя.

— Со мной ты намучилась, поводырем для слепого была. Теперь дочь мою веди. Не ровен час, оступится.

Женщины переглянулись. Кроме горечи, в глазах ничего не было, будто они потеряли последнюю надежду. А дальше пустота.

3

Сегодняшний день был самым обычным. Глеб Накатный считал все дни обыденными и непримечательными. Он не признавал праздников и не замечал будней. Важным и главным признавались способности человека, сила и мозги. Таких он знал не много. Единицы. Перед талантом Глеб преклонялся, остальная серая масса членистоногих им презиралась. Глеб Накатный и себя относил к талантливым людям. Свои способности он вкладывал во зло, а потому и славился лишь в определенных узких кругах. Там его ценили.

Сегодня был выходной день. К Глебу в гости пришел родной брат. Надо сделать оговорку. Младший брат Глеба Александр пришел не в частный дом, а в «казенный дом». В обычный следственный изолятор временного содержания. У Шурика, как называл младшего брата Глеб, имелись большие связи. Он был полной противоположностью своего горячо любимого родственника и к тридцати годам добился больших успехов. Их объединяла лишь внешняя схожесть, но натура и характеры не пересекались ни в чем. Оба видные мужчины и оба наделены незаурядными способностями, вот только свои таланты использовали по-разному. Старший стал незаурядным вором, младший успешным банкиром. И где тут искать наследственность? Мать работала нянечкой в детском саду, отец всю жизнь протрубил слесарем на заводе. Братья искренне любили друг друга, но встречались редко. Имидж слишком разный. Родство не афишировалось. Правда, в банковских кругах никто не слышал о Глебе Накатном. Глеб был человеком непредсказуемым, и любой шум вокруг редкой фамилии мог навредить карьере Шурика, вот почему он не мог допустить, чтобы дело Глеба дошло до суда.

В следственном изоляторе было двенадцать комнат для свиданий, они располагались в отдельном здании с входом с улицы с одной стороны и с охраняемой территорией с другой. Так удобнее, не надо пропускать посетителей в зону подследственных.

Глеба привели позже. Охранник снял с него наручники и вышел из тринадцатиметровой комнаты.

Братья обнялись. Младший даже прослезился.

— Ну что там? — спросил Глеб.

— Сегодня выходной. Очередь стоит. Я с девяти утра тут тусуюсь. Дают по двадцать минут вместо часа. Людской поток, как в мавзолей. Тебя привели с правой стороны?

— Да. Мой корпус через двор.

— Выход налево, второй поворот направо. Окошко справа. Подашь пропуск, тебе взамен вернут паспорт.

Он выложил на стол пропуск и ключи от машины, после чего начал раздеваться.

* * *

Ни один нормальный человек не придет с улицы в тюрьму, чтобы его заперли в камере. Да и этот парень не собирался сидеть за решеткой.

Майор стоял и смотрел на разбитое лицо молодого человека, сидящего на каменном полу.

Сержант, стоящий рядом, с красной повязкой и ножом-штыком на поясе, заикаясь объяснил:

— Он вышел за пять минут до окончания свидания. Обычный мужик, хорошо одетый, уверенно направился к выходу. А я в это время вывел из седьмой «свиданки» Болдина. Не мог же разорваться. Проводил Болдина до решетки и сдал конвою для возврата его в камеру. Вернулся за Накатным. А этот на полу лежит с разбитой мордой, в одних трусах, а тюремная роба в углу валяется. Я к выходу. Не тут-то было. Даже если он ушел не сразу, то за воротами толпа стоит. Давка. И думаю, он на машине уехал.

Майор даже не глянул на сержанта. Он разглядывал потерпевшего.

— Вы на машине приехали? — спросил майор.

— Нет, на такси. На машине жена уехала с ребенком на дачу. Еще вчера.

Майор глянул на стол. На нем лежала передача с продуктами. Значит, этот человек прошел контроль. Продукты проверяют на входе. В истории изолятора таких побегов еще не встречалось. Человек сдает дежурному пропуск, а ему возвращают паспорт, не глядя на фото. По корешку пропуска с номером, заложенного в документ. Примитив. Все просто, как дорожная пыль.

— Знаете, чем вам грозит этот спектакль? Помощь при побеге особо опасного преступника. Лет на пять потянет.

Александр встал с холодного пола и пересел на табуретку. Вытерев кровь с губы, он закурил, взяв папиросу из пачки «Беломора», принесенной брату.

— Здесь не держат особо опасных преступников. Мой брат всего лишь подозреваемый. Преступником он будет после оглашения приговора, если суд состоится, а я всего лишь пострадавший. Не морочьте мне голову, майор.

— Шибко грамотный, значит. По каким статьям проходил?

— Я не судим. Разрешение на свидание получил от прокурора города. За побег несете ответственность вы. Разгильдяи! Недолго вам осталось носить погоны майора. Все, что вы можете сделать, так это вызвать полицейского и сдать меня им с рук на руки. И пора бы уже начать розыск, а не со мной возиться.

Майор вздохнул.

— Пожалуй, я врежу тебе еще пару раз. Есть на кого списать. Я ничего не докажу, но и ты ничего не докажешь.

Он сделал шаг вперед.

4

Два года назад

В Измайлове до сих пор стоят хрущевки. В одной из таких жил Тихон Плоткин по кличке Тихоня. Те, кто знал этого человека, тихоней его не считали. Тридцать два года из своих пятидесяти он провел за колючей проволокой. Облысевший, неказистый, без особых примет, если не считать татуировок по всему телу. Странная личность. Он умел быть очень добрым и невероятно злым. Нежным и ласковым, а в определенные моменты превращался в зверя и монстра. Снежана видела все его стороны и только перед ним не стеснялась раздеваться. Ее кошмарный шрам его не пугал. Пока он ее не встретил, его искала вся милиция. Тихон убивал малолеток, а потом насиловал их. Его не смущали окровавленные тела.

Снежана тоже стала его жертвой. Но ее он не убил. Она сама ему сказала: «Дурак, брось нож. Я не собираюсь кричать и звать на помощь. И не буду сопротивляться. Делай что хочешь, а потом поговорим о наших дальнейших отношениях».

И он выбросил нож. Она его не обманула. Маньяк исчез. Оперативники его так и не нашли. Маньяков не ловят по горячим следам. Когда находят жертву, следов уже нет. Они попадаются случайно и из-за любви к сувенирам. В их домах находят сережки, колечки, трусики, сумочки. Чего взять с дурачков. Тихон Плоткин был опытным бандитом, и в его досье не значилось статьи за изнасилование. Женщины были его потребностью, а не маниакальным влечениeм. Плоткин всегда оставался вором и не путал божий дар с яичницей. Своих жертв он не обкрадывал и сувениры не собирал. Он забывал о них. Что касается человеческой жизни, то людей вокруг себя он не видел. Существуют лишь свидетели, которых быть не должно. Снежана принимала активное участие в собственном изнасиловании. Мало того, он понял, что она получила удовольствие. Такого с Тихоней еще не случалось. А когда девушка предложила ему переквалифицироваться, он в нее влюбился.

Дерзкий грабеж, трупы, кровь, погони, все это дико и неинтересно. Главную роль Снежана определила себе. Пользуясь своей яркой внешностью, она морочила головы богатым мужикам. В основном женатым. Доводила их до экстаза, но на этом все прекращалось. Оставались лишь фотографии или видеосъемки. Для этого Тихон закончил полугодичные курсы. Учился прилежно. Работал тоже качественно. А потом переходил к шантажу. Бывали и срывы. Некоторые мужья не боялись своих жен. Сегодня многие толстосумы держат своих безработных девочек в качестве рабынь. Жена-рабыня не смеет голоса подавать. Тогда использовали запасной вариант. Богатенького Буратино сажали в подвал на голодный паек и требовали у него же выкуп за самого себя. Вот тут Тихоня превращался в монстра и всем стано-

вилось страшно. Он умел запугивать людей. Ни
одна жертва заявлений не писала. За родню и за
себя боялись. Ведь Тихоня приносил клиентам
фотографии их детей и матерей. Он знал о них
все, а они о нем ничего. Запоминался лишь бандитский нож и разрисованное тело в татуиров-
ках. Такие звери не шутят. О Снежане никто не
вспоминал. Бандит использовал девушку. Такая
невинная куколка не могла быть сообщницей
монстра. Ее напугали.

За первый год работы они получили кучу денег.
Тихон не любил шиковать. Зато Снежана жила
в роскоши. Две машины сменила и пятую шубу
повесила в шкаф. Она может. Генеральская дочка. Ее мать считала, будто дочка работает в МИ-
Де личным референтом министра иностранных
дел. Так могло бы и быть. Снежана с отличием
окончила Институт международных отношений. Друг отца, военный атташе, ее пристроил.
Приняли. Дочка легендарного летчика, генерала, профессора академии Жуковского, лично
знавшего самого Гагарина. Но девушка и дня не
проработала после получения диплома. Ей пред-
ложили поработать в Африке три года, а потом...
Потом ее не устроило. К тому же половина Аф-
рики болеет СПИДом.

Вот такая недолгая, но яркая биография была
у голубоглазой красавицы.

Сегодня она приехала взволнованной. Тихон
ее такой еще не видел.

— Что с тобой, солнышко?

Это единственное ласковое слово, которое он знал. А главное, оно очень подходило Снежане.

— Давай выпьем, Тиша. Я коньяк привезла. Есть повод.

— Миллионера подцепила? Надо передохнуть. С последним намучились.

— Почему твоя тупая башка работает только в одном направлении?

— Найди другое направление. Куда ни глянь, одно гнилье, — отбрехался Тихоня.

— Если у тебя душа гнилая, то ничего другого вокруг не увидишь.

Только от нее он мог терпеть такие слова. Девушка достала из сумки бутылку, принесла закуску из холодильника и села за стол. У нее горели глаза. Неужто влюбилась? Он мог выдержать все, что угодно, даже вновь вернуться за решетку, но только не потерять женщину всей своей жизни. Но когда-то это должно было случиться. Он стар и страшен, как черт, а она лишь хорошеет с каждым днем. Чудовище и красавица. В сказке монстр превращается в принца. В жизни он будет стареть и дряхлеть. У Тихона холод пробежал по спине. Только не сейчас. Он еще не готов.

— Я встретила женщину, — сказала Снежана.

Он даже не понял, о чем она говорит.

— Моя копия. Можешь представить себе такое? Если нас посадить рядом, ты нас не различишь. Мы познакомились и решили, что такого сходства не бывает. Мы сестры. Но почему мы об этом не знали? Маргарита обещала разобраться.

Мы же одногодки. Но она намного сильней меня. Не физически, а по духу. Я чувствовала себя ребенком рядом с ней, будто она моя мать, а не сестра. Волевой взгляд, синие глаза-омуты, в которых можно утонуть. Низкий вкрадчивый голос. Мороз по коже дерет.

— Чем она занимается?

— Не знаю. Она сказала, что воспитывалась в детском доме. Больше ничего о себе не говорила. Я же сидела и врала о своей безмятежной жизни. Мне хотелось выглядеть слабой. С такой женщиной конкурировать нельзя. Я боялась, что она заглянет в душу и все поймет. Раскусит меня. Лучше быть порхающим мотыльком. Дурочки не привлекают внимания.

Снежана радовалась, как ребенок, похоже, не вышла еще из своей роли, а Тихон был мрачен, будто пришел на похороны.

— Значит, генеральша не твоя родная мать?

— Да мне плевать на нее. Она всю жизнь посвятила барахлу. Вся квартира завалена хламом. Все вышвырну на помойку, как только она сдохнет.

— И как вы докопаетесь до своего прошлого? Больше четверти века прошло. Тебе уже двадцать шесть.

У Снежаны зависла рюмка в воздухе.

— Эй, Тиша. А я тебе не говорила, сколько мне лет. И паспорт с собой не ношу. Как узнал?

— Говорила по пьянке. Просто забыла. Дурачка-то из меня не делай. И то, что в августе родилась, говорила. Числа только не помню. Мол, ты Лев по гороскопу. Поганый знак Зодиака.

— Вот сестра моя настоящий лев. А я так, щенок.

— Ты не щенок, а кровожадная львица. Но тебе нравится казаться слабой и беззащитной. Ты уважаешь силу. Я же помню нашу первую встречу, когда поволок тебя в кусты. Ты даже не сопротивлялась. А с твоей ловкостью могла бы меня прирезать тем же ножом, которым я тебе угрожал. Но ты его отбросила подальше.

— Созрел для мемуаров, чудик. Раскудахтался. Садись. Пить будем. У меня сегодня настрой. И не порть мне настроение. Тебе меня не понять. Ты же хищник. Собственным щенкам готов глотку перегрызть.

Тихон промолчал. Она ничего не поняла. Но он сделал для себя страшное открытие. Судьба ему отомстила.

* * *

Сегодня Рите не хотелось работать. Днем она выспалась, а вечером пришла в один из ресторанов, отмеченных в графике. Их было больше сотни. Она не появлялась в одном и том же чаще одного раза в квартал, а некоторые вычеркивала из списка, если понимала, что там ее будут искать. И такие казусы случались, несмотря на то, что она предпочитала работать с приезжими. Пару раз нарывалась на бывших клиентов, обходилось. Теперь она меняла парики, всегда носила с собой темные очки, меняла наряды и никогда не садилась за стойку бара. Ее можно узнать по фигуре. Такую женщину и со спины узнают. Рита предпочитала дальние столики, где могла оставаться незаметной. Она выбирала клиентов сама. Опытным наметанным взглядом. Выбирала подходящий момент и проходила мимо жертвы. Магнит срабатывал в девяноста девяти случаях. Такой метод себя оправдывал. Слишком много мелкой рыбешки клевало на вкусную наживку, приходилось отшивать, тратить время и нервы. Слишком много пиявок собирается в злачных местах. Тупые самовлюбленные ослы. Ее не интересовала внешность мужчин. Ее интересовали их кошельки, и Рита видела насквозь каждого из претендентов.

Зря она сегодня вышла на охоту. Никакого настроения. А без шарма и загадочности нет смысла вступать в игру. Каждое свидание она расценивала как поединок. Разыгрывался целый спектакль, азартный, но предсказуемый. Она всегда побеждала, и сам процесс ее очень увлекал.

Этот тип появился ниоткуда, как снег на голову. Он вырос перед ее столиком и смотрел на нее, как кот на миску со сметаной.

— Вы верите в любовь с первого взгляда?

— И даже с третьего не верю, — ответила Рита с холодом. — Извините, я не в настроении.

Он не отходил. По табели о рангах мужчина тянул на пятерку. Чуть больше пятидесяти, полноват, швейцарские часы. «Фрэнк Мюллер», ботинки от «Фелуччи», костюм от «Армани». Все, что надо, и не лишен вкуса. Деньги есть. Можно брать быка за рога.

— Могу я вам предложить бокал шампанского? — спросил он, не собираясь отступать.

— У стойки полно красивых шлюх, на любой вкус. Я пью коньяк и терпеть не могу шампанского. К тому же вы не в моем вкусе. Я хочу посидеть одна, немного выпить и посмотреть в окно, где не видно лиц. Впустую тратите свое время. И мое тоже.

Она не хамила. Рита говорила своим бархатным контральто, тихо и вкрадчиво, отчего мужчины сходили с ума. Она не хотела, но уже вступила в игру, разыграв одну из редких партий, которая требовала времени, но приносила лучшие результаты.

Лысеющий мужичок сел за столик. Надо было встать и уйти. Это же совсем просто. Но она осталась.

— Я вдовец, а не искатель приключений. Мою жену убили. Она была невероятно красивой. Как вы. Полмиллиона за один вечер со мной. Причем я даже не коснусь вас. Могу написать расписку. Я не насильник. И со мной легко справиться. У меня слабое сердце.

Рита открыла свою сумочку и достала толстую упаковку стодолларовых купюр, перевязанных банковской ленточкой. Это была кукла. Внутри резаная бумага. Иногда она прибегала к такому приему, чтобы поднять цену за свои услуги.

Повертев деньги, она бросила их обратно. На столе лежал золотой портсигар и такая же зажигалка. Да и украшения на даме были не из дешевых. Все эти качественные подделки обошлись Маргарите недешево. У нее были и настоящие побрякушки, но на работу она их не надевала.

— Я заезжала сегодня в свой банк и взяла мелочь на расходы. Вы расценили меня, как девушек у стойки. Они и половины моих денег не стоят. Воспользуйтесь случаем, и не потребуется писать расписок.

— Я терпеть не могу покупать чье-то внимание. В нем нет души. Одна лишь оболочка.

— Минуту назад вы предлагали мне деньги.

— Не за душу, а за потерянное время. Я прошу посвятить незнакомому человеку день. Просто у меня кошки скребут на душе. Время тоже деньги. Кому, как не мне, знать об этом. Полмиллиона. Сразу же. Мы проведем вечер при свечах с лучшим коньяком в бокалах. У меня свой дом за городом. Потом вас отвезут, куда прикажете. Просто я не могу оторвать от вас глаз. Такое со мной редко случается. А точнее, впервые.

— Ладно. Я продам вам свое время за полмиллиона. Расписку с вас брать не буду. Поверю в элементарную порядочность. Меня зовут Снежана.

У Риты случайно вырвалось имя сестры. Она о ней думала и вот назвалась ею. А почему нет? Лучше быть дочерью генерала, чем валютной шлюхой. И это же проверить можно. Надо перекраситься в блондинку. И всего-то.

Мужик был счастлив, и его радость не выглядела поддельной.

— А меня зовут Андрей.

Когда Рита встала из-за стола и он увидел ее в полный рост в обтягивающем черном платье, у Андрея дыхание сперло. Живая мечта.

— Ну? И куда мы едем? На Рублевку?

— Нет. Терпеть ее не могу. Там живут только клоуны. Моя дача в Подрезкове. Глаза людям не мозолит.

У Маргариты приподнялось настроение. Полмиллиона ей еще никто не предлагал. Рекорд. Но своих заслуг она не видела. Раз в жизни каждой шлюхе подворачивается сумасшедший. Кто-то даже замуж выходит, других убивают, кого-то уродуют. Нужен опытный глаз, знание психологии, чутье и многое другое. Нелегкая профессия, требующая постоянного напряжения.

На дачу их привез шофер и остался в машине за воротами. На территорию не заезжал. Андрей сказал Рите, будто машина в ее полном распоряжении. Она хорошо запомнила дорогу. Профессиональная память — часть ее профессии. Как это ни странно, но она верила своему необычному клиенту. Ни одна дура не воспримет всерьез предложенную сумму. Но Риту чутье не подвело.

Они устроились на втором этаже, накрыли стол прямо на пушистом ковре, разожгли камин, а потом он открыл сейф. Тот стоял у окна в углу и находился на виду.

— Код простой. Пять нулей. Я плохо запоминаю числа, — сказал он смеясь.

— Зачем ты мне об этом говоришь?

— Потому что ты можешь брать из него любую сумму.

Он открыл дверцу. Сейф был забит деньгами.

— Деньги лишь бумага, — небрежно бросила она.

— Мы уже все обговорили.

Он достал пачку пятитысячных купюр. Рита приоткрыла сумочку, и деньги в нее упали. Феноменально. Все это происходит наяву. Рита небрежно отбросила сумочку в сторону.

— Пора выпить. Как я думаю, ты хочешь поплакаться мне в жилетку?

Вся комната была увешана фотографиями и портретами молодой красивой женщины. Трудно поверить, что такая фифа вышла замуж по любви. Свою роль опять сыграли деньги.

Они сели на ковер, и хозяин разлил коньяк по бокалам. Он забыл закрыть сейф. Забыл ли? У Риты опытный взгляд. Она никогда не подсыпает порошок, если в номере есть камеры видеонаблюдений. Такое не исключается. Трех ее подружек по бизнесу взяли на клофелине. За месяц. Рейд устроили с подставными клиентами. Все срок получили. Камер она не заметила. Но они могут быть миниатюрными. Фокус в другом. Дом, стоящий на отшибе неохраняемого поселка с сейфом, набитым деньгами, не может оставаться без охраны. Ее сразу же провели на второй этаж, а первый дажс не показали. А там не меньше пяти комнат. Кто-то за ними наблюдает. Скорее всего, так и есть. Андрей ищет замену умершей жене. Но хочет найти достойную подружку, а не дешевку. Сделанный Ритой вывод очень походил на истину. Если это так, то он, выходя из комнаты, даст ей возможность подсыпать снотворное в свой бокал. А потом напьется и уснет, дав возможность себя ограбить. Вот только воровке не дадут выйти из дома. Второй вариант она отклонила. Толстяк ее изнасилует и отберет деньги. Для таких целей можно взять любую бабу с красивыми ногами.

Она его слушала. Болтал без умолка, даже плакал, потом смеялся, пел песни, и они даже танцевали. При попытке задрать платье получил по рукам и больше не лез. Рита умела строить из себя недотрогу. К часу ночи клиент отрубился прямо на ковре. Она этого ждала. Предполагаемая схема сработала. Спал по-настоящему, даже похрапывал.

Рита встала и надела туфли. К сейфу она даже не подходила. Взяла свою сумочку, выложила из нее деньги и оставила на ковре с запиской.

«Спасибо, Андрюша! Мне все понравилось. Ты хороший мужик! Иногда я бываю свободной. Удачи! Снежана!»

В конце она приписала свой номер мобильного телефона. Разумеется, он был куплен на чужое имя. Рита часто меняла сим-карты и телефоны. По ним тоже можно определить местонахождение. Бывший муж не раз ловил таких придурков.

Она спустилась вниз. В прихожей горел свет. Кто-то его зажег. Входная дверь открылась без труда. Шел противный мелкий дождь. Девушка прошла по цветочной аллее огромного участка до калитки. На ее удивление, машина все еще стояла на том же месте. Шофер дремал за рулем. Она села на заднее сиденье и хлопнула дверцей. Парень проснулся.

— Отвези меня на Таганку, дружок. Найдешь?

— Шутите. Кто же Таганку не найдет.

— Тогда и генеральский дом найдешь.

— Конечно.

— Поехали.

5

Они встретились на даче в пригороде. Место надежное. У Матвея Огаркова имелось несколько дачных участков, записанных на чужие имена. Время от времени он там появлялся, как дедушка семейства, которое соседи никогда не видели. А все его так называемые дети работали за границей и подмосковной дачей не интересовались.

На одну из своих конспиративных дач и приехал в тот день Матвей Николаевич Огарков.

Как обычно, он полол грядки, подрезал кустарник, любезничал с соседями и ждал племянника из Питера. О племяннике многие слышали, но никто его не видел. Глеб Накатный приехал на хорошей машине во второй половине дня. Добрался без приключений. Тюремное начальство не умеет работать оперативно. Да и полицейских они вызвали, когда Глеб уже выехал из Москвы на загородное шоссе. Все его расчеты оправдались.

Матвей облегченно вздохнул, увидев подъехавшую к забору машину. Он тут же открыл ворота, и иномарка, заехав на участок, тут же скрылась под крышей сарая.

Глеб вышел, сам закрыл ворота и потянулся.

— А Шурик рисковый парень! — улыбаясь, сказал Матвей, подходя к липовому племяннику. — Я боялся, что он не вытянет такого туза.

— Куда он денется, дед Матвей? Через пару недель наша фамилия сверкала бы во всех заголовках. А ему это надо? Он же на приемы в Кремль ходит.

— Думаешь, замнут?

— С его-то адвокатами? Еще извиняться будут.

Они прошли в дом. Неприметный финский домик ничем не отличался от других, кроме камина, сделанного лучшими прибалтийскими мастерами. Там умеют создавать тепло и уют. Милый домик с двумя комнатами. В большой был накрыт русский стол. Водка и все, что годится для закуски.

— Тут поживешь дней пять или недельку. Раньше я документы не сделаю. Отдохни, племяш. Сюда не дотянутся.

— Отходы есть?

— А как же. Под половиком в спальне есть погреб. Из него ведет узенький проход метров в двадцать и выходит к теплице с огурцами. Она застеклена, а люк прикрыт землей. Ход одноразовый, его обнаружат, но отсидеться там можно.

— И такие ходы у тебя есть на каждой даче, дед Матвей?

Старик хитро усмехнулся.

— Дорогое удовольствие. Но свобода дороже. Лазейку могут и не найти, если дом обрушится от пожара, например. Он за минуту сгорит. Останется лишь крыша, выложенная черепицей. Но завалы разбирать не станут. Муторное занятие. В сенях стоят две канистры с бензином. Но я говорю о самом крайнем случае.

Они сели за стол. Выпили по рюмке и сменили тему.

— Так что случилось, Глебушка? Опять тебя баба подвела? Ты же ювелир в своем деле. Работаешь без напарников. Сегодня ни на кого рассчитывать нельзя. Любой сдаст, спасая свою шкуру.

— Твоя школа, дед. Я легких задач перед собой не ставлю. Но и тут ты прав. Бабы моя слабость. Маргарита меня сдала. Больше некому. Сработал я чисто. Меня взяли в электричке перед мостом. Так что чемодан я выбросить не успел. И чутье не сработало. Рано расслабился.

— Сколько денег потерял? — строго спросил Матвей.

— Полмиллиона долларов.

— Вся работа насмарку, в то время как нам нужны деньги. Ко всему прочему и ты засветился.

— Я не думаю, что мной будут серьезно заниматься. Деньги возвращены. Это главное.

— У ментов остался твой паспорт, имя и фотография. Я уже не говорю об отпечатках.

Глеб разлил водку в рюмки.

— Не искри, дед Матвей. Деньги мы достали. Возместим убытки. Шурик не только помог мне бежать, но и пошел на мои условия. Брат все же. Я обещал ему взамен сменить фамилию.

Матвей нахмурил брови.

— Уж не думаешь ли ты обчистить банк брата?

Глеб рассмеялся.

— Банк — всего лишь хранилище денег. Склад. Меня интересуют клиенты брата. Его вкладчики. Их очень много. Большинство — порядочные бизнесмены. Они дергаться не станут, их вклады застрахованы. Шурик пустит слух среди клиентов о предстоящей ревизии. С учетом развернутой кампании по борьбе с коррупцией специальное подразделение ФСБ проводит рейды по коммерческим банкам, проверяя личные ячейки и счета сомнительных предпринимателей. Достаточно пустить лишь слух. Услышит одно ухо — услышат все. А через неделю он покажет мне список всех, кто закрыл свои счета и отказался от ячеек.

— И что это даст? — насторожился Матвей.

— Имена подпольных миллионеров. Их адреса. Лучшее место хранения денег в нашей стране — это матрац в спальне.

— И ты веришь в эти сказки? — Матвей выпил водку залпом и хлопнул рюмкой по столу. — Квартирные кражи — дело тонкое.

— Ты же спец в этих делах, дед. Картины для своего сыночка у коллекционеров брал. И не одну.

— Искусство — лучшее вложение денег.

— Хорошо. Найдем любителей искусства. Может, и твоего сына заинтересуем. В таком деле без напарника не обойтись.

Матвей отрицательно помотал головой.

— Долгая волокита. Парфен, мой сын, никогда не работает внаглую. Он не крадет раритеты. Он делает гениальные копии и подменяет оригиналы, снимая их со стен. Из дома уносят безделушки. Ищут шпану, а не грабителей международного масштаба. Алкоголиков, укравших мелочь из серванта на опохмелку.

— Нас никто искать не будет, дед. Мои клиенты с заявлением к ментам не пойдут. Себе дороже станет. Они уже будут напуганы тем, что на них объявлена охота. А если сдать парочку коррупционеров властям в качестве задатка, то остальные наложат в штаны. Ключиком может стать удостоверение ФСБ. Любая корочка. Их все равно никто в глаза не видел. Для тебя это пустяки, как два пальца об асфальт.

Матвей задумался. Идея ему понравилась.

— Ладно, Глебушка. Я должен подумать. Но с некоторыми персонажами я хочу пообщаться. Мне нужен их голос, манера разговаривать. Остальное мой талант сделает.

Глеб широко улыбнулся.

6

Два года назад

Как ни старался Юрий Ратехин давить на Риту, у него ничего не получалось. Эта она превратила бывшего друга своего первого мужа в слугу, и он ей полностью подчинялся за одну ночь в месяц. За те четыре года, пока Семен сидел в тюрьме, Рита из запуганной девчонки превратилась во властную королеву. Если раньше он считал, будто теперь она его рабыня, то теперь сам превратился в раба. Рита хорошела с каждым днем. Посещала дорогие салоны красоты, фитнес-клубы, одевалась в шикарные вещи и пахла лучше любых цветов.

Он приехал на встречу в очередной массажный салон. У нее не было на него времени. Она принимала ванну с морскими солями и по ходу решила с ним пообщаться. Ему пришлось сбежать с важного совещания.

— А по-человечески мы не можем повидаться?

— Сядь и не ворчи, Юрий. В этом месяце ты не попадаешь в мой график. Придется потерпеть.

— Я же развелся из-за тебя. Теперь у меня квартира свободная и шикарная дача. Все для тебя.

— Давай о деле.

Ратехин вздохнул:

— Дело хреново. Семен все еще считает, что ты его засадила. Кто-то ему на зону несколько анонимок прислал. Тебя обвиняют.

— Все правильно. Его руками меня хотят убрать. Одним ударом убить двух зайцев. И я знаю кто. Неугомонная мамаша Романа Заболоцкого.

— С ней никто связываться не будет. Лучший криминалист. Генералы ее не вызывают к себе, а спрашивают: «Не найдется ли у вас время, Ирина Сергеевна, зайти ко мне?» И если Заболоцкая попала в число твоих врагов, то я пас.

— Плевать я на них хотела. И на Семена тоже. Он меня не найдет.

— Он хочет дочь твою выкрасть. Сама придешь.

— А за мою дочь ты в ответе. Волос с ее головы упадет, и твоя башка с плеч свалится. Крутись, подполковник. Ты мент, а Семка уголовник. Глаз с него не спускай.

— Мои ребята уже пасут твою Ляльку. Но и Семен не лох. У него опыта хватает. Десять лет предпринимателей общипывал под носом у начальства. Медали получал.

— Ну, хватит. Скулы сводит от скуки. Одну и ту же песню четыре года поешь. Что об Андрее из Салтыковки узнал?

Ратехин повертел головой, будто их кто-то подслушивал.

— Хитер, гад. У него сеть магазинов по торговле автозапчастями для иномарок. Часто выезжает за границу. Заключает договоры на прямые поставки. Работает без посредников. Три салона по ремонту имеет. Хорошие деньги получает. Комар носа не подточит. А начинал мальчиком на побегушках. Дорос до зама. Потом начали погибать директора. Он садился в их кресла. Три директора концы отдали, и он объединил три фирмы в одну. На все случаи у него железное алиби. Убийц не нашли. Вот только обслуживающий персонал в его точках наполовину состоит из бывших уголовников. Оттого ему и крыша не нужна. Любых отошьет. Он сам себе крыша. Под него не раз копали. Ничего не получается. Даже из наших, с погонами. Там и политики, и чуть ли не губернаторы. Он любую машину за сутки на ход ставит, а детки высокопоставленных бонз жить без аварий не могут. Теперь под него поздно копать. Себе яму выроешь. Зовут его Андрей Ефимович Злотвер. Что ты против него имеешь?

— А что с его женой случилось?

— Застрелилась в гостиничном номере. С любовником встречалась. Его запомнили, а потом и нашли. Они давно уже встречались. Молодой жеребец. Улик полно. Но он утверждает, будто не встречался в этот день с Олесей. Женой

Злотвера. Алиби нет. На ручке пистолета его отпечатки. Говорят, у них была страстная любовь. Убил из ревности к мужу. Борис Воскобойников был нищим, а Олеся хотела красивой жизни. Вот только муж ей попался не из числа принцев, и она продолжила связь с Борей. Сначала он брыкался, а потом написал чистосердечное признание. Ясное дело, пугнули парня. Пятнадцать лет влепили. Скидку сделали за состояние аффекта. Чушь! Не пролезает. Думаю, что судей тоже купили.

— Ясно. А ты что думаешь?

— Злотвер убил свою жену. Бориса на тот день отвлекли. Лишили алиби. Напоили где-нибудь. А убийца в его одежде мог проникнуть в номер и ухлопать женушку. Его же видели.

— А как Олесю заманили в номер?

— Они там и раньше встречались. Надо было лишь выяснить день и час их следующего свидания. Бориса перехватили и заперли в подвале, а вместо него в отель пошел убийца. Олеся уже ждала его в номере.

— Как все до безобразия просто, — усмехнулась Рита.

— Криминальный талант, милочка. Чем проще преступление, тем труднее его раскрывать. Берут все, что лежит на поверхности. Никто до сути не докопается. Висяки и глухари уже всех к земле придавили. Сегодня мент — презренная личность. Ни почета, ни уважения.

— Хорошо. Гуляй, Юрик. Жди звонка.

Время вышло, но Рита не стала вылезать из ванны, тогда этого слюнтяя и вовсе не выгонишь, стоит ему увидеть ее тело.

Андрей Злотвер звонил ей вчера и просил о встрече. Хотел вместе поужинать. Она назначила ему встречу на завтра. А сегодня Рита решила поужинать с сестрой.

* * *

Свою мать Снежана ненавидела и не раз желала ей смерти. Но у пожилой женщины, привязанной к инвалидной коляске, было крепкое сердце. Такая еще сто лет проживет. Такую можно только убить. Тихон мог бы это сделать. Человеческая жизнь для него ничего не значила. Но в доме жила домработница. Кошмарная баба. Здоровая, как лошадь, и преданная хозяйке, как собака. Перед ней Снежана разыгрывала скромную очаровательную девушку, поглощенную науками и искусством. Затея опасная, но она не выходила у Снежаны из головы. Главным плюсом в ее задумке считался мотив. У дочери не было мотива убивать мать. Квартира, дача, машина были записаны на ее имя. Это сделал еще отец, не считаясь с возражением матери. Сбережения оформлены на имя предъявителя. Снежана знала, где мать их прячет, но никогда не просила у нее денег. Ей своих хватало. Как-никак, а работает референтом самого министра. Из дома иголки не пропадало. Иногда Снежана надевала дорогие украшения матери, но всегда их возвращала. Да и своих у нее хватало. Одна заколка для волос стоила бешеных денег. Ни деньги, ни ценности молодую красавицу не интересовали. Свою ненависть к матери она умело скрывала, изображая из себя невинную овечку. Но каких трудов это ей стоило. Выходя из комнаты матери, девушка скрипела зубами, она даже плакала, но победить в себе ярость не могла.

Двумя этажами ниже жил тот самый военный атташе, друг отца, тот, что когда-то устроил ее на работу в Министерство иностранных дел. Практически в Москве он не жил. Пятый год работал за границей и уехал, как это принято, с семьей. У Снежаны были ключи от их квартиры. Поливала цветы, смахивала пыль, следила за порядком. Там же она хранила свои шубки, дорогую одежду и прочие вещи, которым не следовало попадаться на глаза матери и служанке. Да и о ключах никто не знал, даже Тихон. Полный холодильник деликатесов позволял жить в автономном режиме не меньше двух недель. Прекрасное убежище.

Телефонный звонок разбудил Снежану от задумчивости. Она взяла трубку, и на ее лице появилась радость. Тихий низкий голос сестры она узнала сразу же.

— Бог мой! Я так ждала твоего звонка. Я уже скучаю без тебя, хотя мы виделись только мельком.

— Предлагаю вместе пообедать и обсудить некоторые планы. У меня есть к тебе предложение.

— Где? Во сколько?

— Ресторан «Савой». Я заказала столик на двоих. Часов в восемь приезжай.

— Обязательно.

Метрдотель проводил Снежану к заказанному столику. Ошибки быть не могло. Но сестры не хотели выглядеть одинаково и смущать публику. Общим были лишь темные очки. Рита надела рыжий парик, Снежана черный. Теперь они стали разными, если не приглядываться.

— К тому же мы думаем одинаково, — улыбнулась Рита.

— А что тут удивительного? — спросила сестра.

— Ничего. Нам будет легко понимать друг друга. Без лишних слов. Я заказала коньяк и закуску. На горячее цыплят. Тут умеют их делать. Ну, а теперь пора снять очки. Мне нужны твои глаза.

Снежана сняла очки, и Рита увидела яркие сияющие глаза.

— Ты так мне ничего и не рассказала о себе.

— Нечего рассказывать, сестренка, — с грустью сказала Рита. — Жизнь меня по головке не гладила. Зеленая тоска. А вот ты выглядишь благополучной девушкой. Лоска в тебе хватает.

Снежана нахмурилась.

— Почему ты так говоришь? И что ты можешь знать?

— Наследственность, милая. Наши родители были преступниками. Оба. В святые мы не годимся. Ты больше похожа не на меня, а на мою дочь. Она тоже похожа на ангела, но с гнильцой. Красавица, отличница и воровка. В жизни не подумаешь. Такие пятна не выводятся.

У Снежаны закололо сердце. В лоб ей никто таких вещей не говорил. Женщина, сидящая напротив, видела ее второй раз в жизни и тут же раскусила ее. Бесполезно спорить и оправдываться. Зеркалу не соврешь.

— Зачем же ты со мной встретилась?

— Мы одно целое. Никто никогда не узнает о существовании двух копий. Один грабит, другой создает алиби. Такого фокуса никто никогда не видел.

Снежана побледнела. Она искала в сестре спасение, но зашла в болото. Придется тонуть. Выйти сухой она не сможет. От Риты веяло магнетической силой.

— И кого мы будем грабить?

— Есть один мужичок. Очень богатый. У него мешки денег. Им и займемся.

— Выкрадем и выкуп запросим? Срабатывает.

— Возможно. На первом этапе. Но нас очень быстро найдут и оторвут головы. У него целая армия головорезов. С нашим преимуществом глупо так работать. Мы все получим честно и официально. Я выйду за него замуж по твоему паспорту. Генеральская дочка не вызовет подозрений. Потом он умрет, в то время как я буду сидеть с его друзьями. Так он сам убил свою жену. За что боролся, на то и напоролся. Зачем выдумывать велосипед?

— И ты думаешь, я смогу это сделать?

— А разве ты еще никого не убивала? — Рита заглянула в глаза сестре.

— Нет. Но планы строила. Кишка тонка. Духу не хватает. Я давно мечтаю убить свою мать. Если она наша мать, в чем я сомневаюсь.

— Наша мать тюремная шлюха! И не будем об этом. Важно начать. Потом не остановишь. А затем ты выйдешь замуж по моему паспорту. Город придется сменить, где меня никто не знает. Я ведь дамочка известная в определенных кругах. Курортный роман в Сочи с сибирским олигархом, венчание, неожиданная смерть и наследство.

— Мне не нужны деньги, Рита.

— У меня их тоже хватает. Дело не в деньгах. Дело в мозгах, которые рождают кошмарные мысли. Дело в ногах, выводящих нас на кривую дорожку. А люди, с которыми нас сталкивает жизнь? Я помню двух-трех человек, остальное хлам. И этот хлам нам нравится. С другими мы не уживаемся.

Перед глазами Снежаны возник образ Тихона Плоткина. Отъявленный выродок, но других мужчин она не знала, сваливая все на свою искалеченную ногу. Не в ноге дело. Она уже давно не понимала, что ее возле него держит. Старый урод, зверь, отвратное животное. Такого и человеком не назовешь.

— У меня есть сообщник, — призналась Снежана. — Он меня не отпустит.

Рита выложила на стол стеклянную баночку с валидолом.

— Здесь таблетки амитала натрия. Военные разработки. Говорят, будто в КГБ их использовали как сыворотку правды. Подавляет волю человека. Одной таблетки хватит, чтобы человек заговорил. От двух он погрузится в глубокий сон. От трех умрет. Но у них один недостаток. Его обнаружат в крови, если сделают анализы на яды. Судмедэксперты редко делают такие анализы, если другие причины очевидны. Например, ножевое ранение или дырка от пули. С чего-то ты должна начинать. Помни, сестренка, нам сообщники не нужны. Нас только двое. А для всего мира существует только одна женщина. Я или ты, зависит от обстоятельств. Год работаем, два отдыхаем. В Париже, например.

— Ты страшная женщина, Рита. Я не верю твоим словам.

— Не страшнее тебя. Но если я себя знаю, то ты себя нет. Твои бутоны еще не распустились. Дай время. Все в конце концов встанет на место. Судьбу не обманешь.

Снежана закрыла глаза. Ей стало страшно. Но она уже знала, что после ресторана поедет к Тихону. Такой конец был неизбежен.

* * *

Снежана во всем подражала своей сестре, не осознавая этого. Она не доехала одного квартала до дома и оставила свою машину на платной стоянке. Здесь же и переоделась. Шубки и шпильки полетели в спортивную сумку, потом в багажник. На себя она надела старое потрепанное пальтишко и кошмарный серый платок, закрывавший пол-лица. Из машины вышла сгорбленная старуха с авоськой. Она понимала, что другие женщины не могут ходить к неприметному алкашу, жившему затворником в старой убогой трущобе. Свое тряпье она скидывала в прихожей и превращалась в царевну из убогой лягушки. Тихон любил смотреть на нее и восхищаться стриптизом, который она перед ним устраивала. Его не смущал кошмарный шрам девушки, а она любила танцевать, доводя себя до экстаза. Где еще себе позволишь такую откровенную распущенность. Только с Тихоном она позволяла себе все, что угодно. В других местах Снежана, подобно улитке, пряталась в своей ракушке, скрывая все лучшее и худшее, что таилось у нее на душе.

Неприметную старушонку соседи знали. Даже здоровались с ней. В доме без лифта невозможно оставаться незамеченной. Но вряд ли кто-то смог бы ее описать. Серое пятно, передвигающееся с палочкой в руках. Да и Тихон особо ничем не выделялся. Кепка, сдвинутая на нос, резкая быстрая походка, играющие желваки на скулах.

Пьяным его никогда не видели, а у винного магазина он появлялся часто. На троих не соображал, пил в одиночку. Тихий алкоголик. Не шумит, не скандалит, никому не мешает.

Шел первый час ночи. В редких окнах горел свет. Народ тут ложился рано и вставал чуть свет. Погода стояла мерзкая, дожди не прекращались, приближалась зима, ветер безжалостно гонял желтые листья по лужам.

Она шла к нему в последний раз. Это она точно знала. Но убить Тихона Снежана не сможет. Скорее он ее убьет. Туда ей и дорога. До сегодняшнего дня жизнь ей казалась одним большим приключением. Сном, который скоро закончится. Теперь, после встречи с Ритой, этот сон должен превратиться в кошмар. Значит, это была судьба. Она не волновалась, только сердце покалывало. Чрезмерная чувствительность. Так недолго и до инфаркта допрыгаться.

Сегодня она никого по пути не встретила. А если бы и встретила, никто бы не поинтересовался жизнью Тихона. А о ней и вовсе. Так и было задумано изначально. Пропадут люди из поля зрения, о них никто и не вспомнит. А они могли исчезнуть в любой день. Нельзя же безнаказанно ходить по тонкой веревочке над пропастью. Им до сих пор чертовски везло. И все лишь потому, что они молчали. Ни один стукач, ни один уголовник их не мог сдать, продать и заложить. Тут Рита права. Сообщников быть не должно. Даже из них двоих нужно сделать лишь одну. Вторая станет тенью первой. Тихон ее никогда не оставит в покое. Он считает ее своей собственностью. Снежана никогда так не считала, но не мешала ему так думать. Оборвалась веревочка. Всему приходит конец. Разве она может показать сестре этого старого урода, да еще признаться, что спит с ним?

У Снежаны разболелась голова. Открыв своим ключом квартиру, она так и не приняла решения. Темно. Пришлось зажечь свет. Тихона не было. Один он не пойдет на дело. Они вместе строили планы. Сейчас период затишья. Он сам об этом просил. Выдохся мужик, не мальчик уже. Ушел за водкой? На кухне целый ящик стоит нетронутым. В квартире чисто. Редкий случай. На столе в столовой лежала записка, точнее, целое письмо. Тихон стеснялся писать, зная, сколько ошибок делает в каждом слове. А тут...

Снежана начала читать:

«Милое мое создание! — Снежану передернуло. Этот упырь не знал нежных слов. — Ты была всем для меня. Теперь у тебя есть сестра, а у меня никого не осталось. Я жил волком-одиночкой и по-другому не хотел и не умел. Появилась ты, и мир перевернулся. Но я хочу рассказать тебе историю из мексиканского сериала. Двадцать шесть лет назад я был сильным и крепким авторитетом. Мне было столько же, сколько тебе сейчас. Сидел на пересылке в «престижном» СИЗО. Долго сидел. Запутал следствие и суд так, что они подавились этой кашей. Надзиратели нам водку и дурь носили. Заначка у всех имелась. Без хрустов в клетке жить трудно, а я еще и в карты выигрывал. Вот тогда я взял за грудки старшего надзирателя и потребовал бабу. У придурка мотня намокла. В правом отсеке женское отделение находилось. «Молодую приведи и красивую», — потребовал я. И он привел. Платить всем пришлось. Пять постов просквозить требовалось. Не хухры-мухры. Свели нас в изоляторе для штрафников. От глаз людских подальше. Увидел я Катьку и обомлел. Сказка. Таких отродясь не видывал. Крышу снесло. Девчонке восемнадцать, а она уже под расстрельной статьей ходит. Она не сопротивлялась, знала, как все делается. Раз уплачено, то работай. Иначе башку снесут. Меня от нее оторвать не могли. И было у нас семь свиданий. Потом деньги кончились. А без них никуда. Тюремной почтой пользовались. Катюша скупа была на слова. Один лишь раз написала доброе слово «Скучаю». Вот такая у меня была любовь. Иной и быть не могло. Но я ее до сих пор не забыл. Других не искал. Хватал, что под руки попадалось, убивал и трахал. И не похоть удовлетворял, а злость свою. Когда я встретил тебя, то вновь ожил. Я увидел в тебе Катю. Словно она заново на свет родилась. У меня опять снесло крышу.

А теперь о главном. Как мог, я следил за судьбой Екатерины Бережковой. Женщин в нашем государстве не расстреливают. Ее вопрос решал-

ся долго. Я уже в зоне баланду жрал. И вот мне
пришла весточка. «Катю под конвоем отправили
в роддом. Родила двух девочек. Мать спасти не
удалось. Заражение крови. Скончалась. Похоронена в общей могиле». На этом все. Но у тебя же
не было сестер. Я это знал, хотя и видел в твоих
глазах глаза Кати. Такие повторить нельзя. Я жил
со своей дочерью! И будь я за это проклят! Прости, если сможешь! Даже своим близким я ничего не мог сделать, кроме зла! Пора завязывать
с этой поножовщиной. Не смею называть себя
отцом. Был и остаюсь твоим Тихоней».

Дочитав письмо, Снежана вытерла слезы и
потеряла сознание. Красные круги поплыли перед глазами, и подкосились ноги. Она не знала,
сколько провалялась на полу. Пришла в себя,
встала на ноги и направилась в туалет. Здесь Тихон и висел. Табуретка валялась рядом.

Опять кольнуло сердце, но в обморок она
больше не падала. Наоборот. К ней вернулись силы и решительность. Снежана взялась
за телефон, вызвала полицию и «Скорую помощь». Возле телефона лежала еще одна записка. Почему он ее положил сюда, а не оставил
на столе?

«Деньги я не трогал. Тратил только на водку
и хлеб. Остальное все цело. Помнишь памятник на кладбище? Взглянув на него, ты сказа-

ла: «И мне поставь такой же!» Он светлый и не унылый. Там все и зарыто. Если сможешь, живи. Прощай и прости!»

Снежана вспомнила тот памятник. Какая ирония судьбы! Она водила своего отца на могилу к своему отцу, летчику-герою, который не имел к ней никакого отношения. Одна из могил привлекла ее внимание, когда они прогуливались по аллеям. На черном постаменте из гранита стоял опустивший голову ангел из белого мрамора. Каменная тоска. Такую она ощущала в беспокойной душе. И этот варвар зарыл под святыней грязные кровавые деньги. Может, он хотел, чтобы только она могла их найти? Эта записка ни о чем не говорила постороннему человеку. А тайников у них не было. Она тратила свою долю, а его сбережениями не интересовалась. Снежана поймала себя на мысли, что вновь пытается его оправдать.

Милиция приехала первой. Девушка показала им труп.

— Он сам? — спросил майор.

— Не знаю. Я приехала час назад. Он уже был холодный.

— А вы кто? На дочь не похожи.

— Тихон бывший преступник. Давно уже завязал. Правды не скрывал. Он у нас ремонт делал. Гроша в доме не пропало. Я дочь генерала авиации Дергачева. Этот мужичок показался мне очень добрым. Я его навещала раз в месяц. Привозила продукты. Деньги он отказывался брать.

— Наивная душа, — хмыкнул майор.

— Суицид налицо, — сказал эксперт. — Надо оформлять.

— Я хотела бы похоронить его по-человечески, а не в общей могиле для бомжей.

— Это ваше дело. Оставьте свой адрес, мы вам сообщим, в какой морг его отправят.

Девушка никого не заинтересовала. Протокол тоже составлять не стали, но понятых вызвали, а Снежану просто пожалели. Слезы на глазах молодой красавицы смягчили сердце майора.

Не замечая дождя, Снежана возвращалась к стоянке. Ее мучил вопрос. Говорить Рите об их общем отце? Как она узнала о том, что их родители были преступниками? Что ей известно? Не больше, чем тем, кто принимал роды. А откуда она знает о подробностях тюремного романа? Нет. Надо молчать.

7

Это произошло в первом часу ночи на пустынной улице. Роман шел на встречу с нужным человеком, и тут...

Машина на огромной скорости влетела на тротуар и сбила человека. Роман находился на другой стороне улицы и очень хорошо видел, как все происходило. Жертву подбросило вверх метра на три, и человек, превратившийся в тряпичную куклу, рухнул на асфальт. Роман замер. Кошмарная картина. Две-три секунды, и все кончилось. Машина, не снижая скорости, скрылась с места происшествия. И вновь вокруг воцарилась тишина. Роман пришел в себя и побежал на другую сторону. Сработал инстинкт врача. Он не мог уйти, оставив человека без помощи, но его услуги трупу уже не понадобились. При падении человек разбил себе лицо и черепушку. Тут у Романа сработал другой инстинкт. Он обшарил карманы трупа, достал мобильный телефон, ключи, бумажник и паспорт, все это забрал себе, а в карман трупа положил свой паспорт на имя Романа Заболоцкого. Этот мужчина опознанию не подлежит и к тому же они приблизительно одного возраста. Теперь бывший зэк Заболоцкий был мертв. Квартира продана, новую он на учет не ставил.

Он осмотрелся по сторонам. Ни души. Похоже, жертву поджидали. Удобное местечко для сведения счетов.

Роман встал с колен, перешел дорогу и свернул во двор. Он не знал этого района и долго блуждал по дворам, пока его не вынесло на другую улицу. Роман поймал частника и попросил его довезти до площади. Тот согласился за пять сотен. На площади Роман сменил машину. И только на четвертом такси приехал по нужному адресу.

До места прошелся пешком. Дверь ему открыл пожилой мужчина, похожий на ученого, с седой бородкой, умными глазами, в атласном китайском халате с драконами.

— Чем могу быть полезен? — спросил он с некоторым удивлением.

— Я звонил вам днем. Вы мне назначили встречу по этому адресу. К сожалению, я опоздал на полтора часа. Обстоятельства.

— Как вас зовут?

— Роман Заболоцкий.

— Паспорт есть?

— Уже нет. Я умер час назад. Но у меня есть письмо от матери, где она рекомендует мне обратиться к вам. Ее звали Ириной Заболоцкой. При жизни она занимала пост старшего криминалиста в Управлении внутренних дел. Не знаю, что вас связывало, но догадываюсь.

— Я хорошо помню вашу мать. Уникальная женщина. Проходите.

Скромная квартирка со старой мебелью. Фотографии в рамках на стенах, безвкусные обои. Роман сообразил, старик здесь не живет. Место для встреч с не очень надежными партнерами. Тут старик обнюхивает своих клиентов и делает выводы.

Они присели на диван.

— Можно, я взгляну на письмо вашей матери? — мило улыбаясь, спросил старик.

— Конечно. Но то, что никому не следует читать, я замазал. Есть очень личные вещи. Там, где речь идет о вас, я не трогал.

— Весьма благоразумно. Чему-то вас Ирина Сергеевна научила.

Роман передал письмо старику.

— Да. Я с детства был любопытным и, подобно доктору Ватсону, выслушивал ее умозаключения, которыми она не делилась с начальством. Я был хорошим слушателем, а со временем научился делать собственные выводы.

— Хорошая черта, — старик отложил бумагу, — с вашей статьей нелегко чалиться в зоне. Не так ли?

— Мне повезло. Как врач я попал в больничку и помог встать на ноги смотрящему зоны Богдану Качуре, известному под кличкой Шершень. Он взял меня под свое крыло. У него я тоже кое-чему научился, Матвей Николаевич.

Хозяин усмехнулся.

— Можно ли учиться у человека с пятью судимостями, который большую часть жизни провел в зоне?

— Вы знаете, о ком я говорю.

— Конечно. Я всех знаю, кто того стоит. Вы, как я догадался, человек талантливый, но невезучий. Ваша матушка пыталась отомстить за вас, но боюсь, не все у нее получилось. Вас ведь именно месть интересует в первую очередь. По мнению Ирины Сергеевны, вы болезненно относитесь к справедливости. Для врача это хорошая черта. Она очень боялась, будто вы после освобождения захотите наказать подонков за поломанную судьбу. А значит, опять попадетесь и вернетесь за решетку. Вот только будете знать, за что сидите. Она пришла к простому решению. За вас она сама отомстит. Вы хороший врач, но никудышный преступник. Она прекрасный криминалист, но так же далека от злодейства. Первая часть ее задумки удалась. Муж Марго, вашей любовницы, которая вас засадила за решетку, работал в милиции. Вы это знаете. Это он, Семен Пекарский, и его напарник Юрий Ратехин застали вас в момент изнасилования вами Марго — Риты Пекарской. Правда, потом он ее бросил, понимая, что Риту никто не насиловал, а она постоянно наставляла ему рога. Но в тот момент он защищал честь жены и свою тоже. Честь, которой у него никогда не было. Ваша мама выяснила все об этом человеке. И вот Пекарский попался на крупной взятке. Надо сажать оборотня в погонах. Нет. Его уволили и не стали раздувать скандал. Всем уже поперек горла стояли эти оборотни. Ладно, выгнали хапугу. Но он нашел себе работу не хуже. Пришлось подставлять мужика во второй раз. Тут я вмешался. Выполнил свою работу как надо. На этот раз Семена Пекарского посадили. Всего-то на четыре года. Мало того, он уверен в том, что подставила его бывшая жена, которую он бросил с семилетним ребенком. У него были причины подозревать Маргариту. Теперь можно приступить к обработке виновницы торжества. Но ваша любовница оказалась очень хитрой дамочкой. Она сразу поняла, кто топит ее мужа. И догадывалась, что она стоит на очереди.

Старик встал, подошел к письменному столу и достал из ящика несколько фотографий. Вернувшись назад, он разложил их на столике, стоящем перед диваном.

— В один из дней Риту в подъезде поджидал киллер. Профессионал, работающий без помарок. Надежней не бывает. Но Рита домой не вернулась. — Он положил снимок женщины, лежащей в сугробе в странной позе, будто она защищалась. На снегу много крови. — Ее нашли случайные прохожие. Узнаете?

— Конечно. Это Марго. Только в блондинку перекрасилась. Вообще-то она темно-рыжая.

— Правильно. И на фотографии паспорта она темненькая. Вызвали полицию. Ваша мать в ту ночь дежурила. Она ждала вызова. Вот только адрес оказался другим. Женщина оказалась живой. Можно считать это чудом. Врачи тоже не подвели. Но как Рита попала в район Печатников? Нашли ее ночью в сугробе в тридцати километрах от дома на задворках гаражного кооператива с проломленной головой. В милицию позвонили муж и жена, ставившие машину в гараж рядом с найденным телом. У них отключилось отопление на даче, и они решили поехать в московскую квартиру. Замерзли. Случайность? Конечно. Маргарите повезло. И не первый раз. С врачами ей тоже повезло. Настоящие волшебники. И еще одна деталь. — Матвей указал на другую фотографию. — Любопытная штучка. Не правда ли? Это заколка для волос. Чистое золото и шесть изумрудов. Жесткая стальная застежка. Она и спасла жизнь женщине. Удар был нанесен тяжелым стальным предметом. Очевидно, монтировкой. Ее нашли рядом. Заколка смягчила удар. В карманах жертвы найден паспорт на имя Маргариты Пекарской. Допросить пострадавшую не удалось. Врачи сказали, что она не скоро придет в себя, а когда это произойдет, то вряд ли сможет восстановить свою память. На этом этапе возникают некоторые странности. О чужом районе мы уже говорили. Дальше. Семья возвращается в Москву. Звонят в милицию, а не в «Скорую помощь». Мало того, мужчина попросил связать его с дежурным по городу, а не с отделением милиции. А тот в свою очередь вызвал оперативно-следственную группу прямо с Петровки, в которую входила ваша матушка. Случайность? Совпадение? Уже не уверен. И главное. Кому понадобилось убивать Риту? Конечно же, она ждала мести. И от вас, и от своего мужа. Но вы оба сидели. Но убийцами можно руководить и на расстоянии. Я вызвал надежного киллера из другого города. Ирина Сергеевна заплатила ему аванс. Но он так и не выполнил свою работу. Не его вина. Он получил неточные данные и аванс не вернул. Бог с ним. Но кто же нашел других убийц? Причем бездарных. Шпана, а не профессионалы. Бить монтировкой по голове женщину? Ясно лишь одно. В район Печатников ее привезли. Место подходящее. Чудо, что она осталась жива, и то, что ее вовремя нашли. Везучая стерва. Но самое интересное впереди. По адресу жертвы отправились оперативники. Ключи от квартиры нашли в ее пальто. Когда им дверь не открыли на долгие звонки, они воспользовались ключами. Квартира пустовала. Холодильник разморожен, пыль на мебели. Но в паспорте Маргариты значится дочь. Которой сейчас должно быть двенадцать лет. Ваша мать терпеливо ждала, когда выйдет из тюрьмы муж Риты Семен Пекарский. Именно его она хотела подставить под убийство жены. В тот вечер, когда киллер поджидал Риту в подъезде дома, где никто давно не жил, Пекарский выпил какого-то зелья. Не знаю, где его достала Ирина Сергеевна, но Семен находился в отключке больше суток. Потом хотели испачкать его одежду кровью и подбросить оружие. Тут я не вникал. Ваша мать криминалист, ей и карты в руки. Теперь, как мы понимаем, ни ваша матушка, ни Семен Пекарский к покушению на жизнь Риты отношения не имеют. Ирина Сергеевна сама занялась расследованием. Опрос соседей показал: в квартире жила мать Маргариты, выписанная из Саратовской области. Она же и занималась внучкой. Дочь появлялась редко, не чаще одного раза в месяц. Только деньги привозила. Но наружное наблюдение, установленное Ириной Сергеевной, показывало, будто Рита ежедневно приходит домой в начале седьмого вечера и выходит из дома по утрам. Подъезд сквозной. Есть выход во двор и на улицу, но уличная дверь забита, и все пользуются входом со двора. Гвозди крепкие и заржавевшие. Дверью давно никто не пользовался.

Однако чердачная дверь не закрыта. Через нее попадаешь на крышу и переходишь в соседний подъезд. Слсды на снегу это подтвердили. Там даже лопата стояла для прочистки тропинки. Так вот. В соседнем подъезде дверь на улицу не забита, а на ней висит замок, стекло над замком выбито. Значит, замок можно открыть с любой из сторон. Царапины говорят о том, что им часто пользуются. Вот и весь секрет. Марго давно уже ждет непрошеных гостей. У бабы волчье чутье. Она каждый день приходила домой с работы и, не заходя в квартиру, выходила из дома через соседний подъезд. Умно! Дамочка готова к атаке. Мало того, она чувствовала, когда наступит пик событий. За неделю до покушения мать Марго и внучка исчезли. По словам соседей, они уехали в деревню. На деревню к дедушке. Точно по Чехову. Без адреса. Сгинули. Однако Рита продолжала приходить в дом-«сквозняк». Небольшая сноска. Министерство, в которое Рита ходила на работу, имеет десятки входов и выходов. Проверка показала, госпожа Пекарская никогда там не работала. В итоге о Маргарите никто ничего не знает. И последний мазок. Жертва покушения Маргарита Пекарская исчезла из больницы через месяц после операции. Самостоятельно уйти она не могла. Она не приходила в сознание, и с ней не разговаривали врачи. Состояние стабильное. Швы затянулись, анализы нормальные. Но о выздоровлении говорить не приходилось. Женщину похитили. Как? Не ясно. Так же не ясно, кто покушался на ее жизнь. Козла отпущения нашли и дело закрыли. Но это отдельный разговор. До сих пор непонятно, чем занималась Маргарита. Чем зарабатывала на жизнь и кормила своих мать и дочь. По сути дела, после ухода от нее мужа о Маргарите ничего не известно. Даже ваша мать о ней ничего не знала. Ее эта особа не интересовала. Живет там же, никуда не выезжает, загранпаспорта нет. Все. Этого достаточно.

— Вы рассказали мне историю двухлетней давности, Матвей Николаевич. Что изменилось с тех пор?

— Ничего. Возможно, ее убили те, кто не смог этого сделать с первого захода. Я говорю о заказчике, а не об исполнителях. Ее косточки гниют где-то в подмосковных лесах. О ее муже и сказать нечего. Но тут можно вспомнить о бывшем напарнике Семена — Юрии Ратехине. О том самом, который давал показания на суде, подтверждая, что вы насиловали Риту, когда он и муж Риты пришли к нему домой.

— Я помню этого ублюдка.

— Ваша мать обошла его своим вниманием. Его не уволили из МВД. Мало того, он быстро пошел в гору и дослужился до подполковника. Он и сейчас возглавляет один из отделов МУРа. Конечно, с таким подонком связываться страшновато. Но ему все с рук сходит. Он оказался хитрее и умнее своего начальника. И думаю, Юрий Ратехин и Семен Пекарский до сих пор поддерживают связь.

— Зачем подполковнику полиции нужен бывший зэк? — удивился Роман.

— Ответ неоднозначный. Наблюдатели из команды вашей матери, царствие ей небесное, составляли отчеты. Я их читал. Когда Семен ушел от Маргариты, его место занял Юрий Ратехин. Втайне он был влюблен в Риту. Она же хотела отомстить мужу. Квартиру Ссмен не смог отобрать у бывшей жены. Но он вывез из нее все, оставив голые стены. Даже алименты ребенку платил по суду с копеечной милицейской зарплаты. А она знала, сколько денег он имеет на своих черных махинациях. И, конечно, Ратехин делал все для любимой женщины. Этим воспользовалась Ирина Сергеевна. Она через подставных лиц наладила связь с Ратехиным и научила его, как и на чем можно поймать Семена. Идея ему понравилась. Ратехин боялся своего друга и начальника, а тут еще с его женой спутался. Это с его помощью Пекарский попался на взятке в особо крупных размерах. Но его не посадили. И все же Рита оценила вклад своего нового любовника, который приписал себе хитроумную операцию по выявлению продажного оборотня в погонах. Только для Риты, разумеется. В итоге он превратился в ее раба, а для Семена оставался другом. Следующий план вашей матушки — посадить Семена за решетку. К сожалению, удалось лишь на четыре года. Слишком мало. Пришлось ждать. Теперь Семен выходит на свободу и должен рассчитаться со своей бывшей женой. У него были причины обвинять жену во всех его неприятностях. Только она знала детали всех его незаконных афер. На этот раз на помощь Юрия Ратехина рассчитывать не приходится. Он находился под наблюдением и на глупый риск не пойдет.

Ратехин лично встретил друга у ворот колонии. Семен находился под наблюдением агентов Ирины Сергеевны. Он на убийство не пойдет. У Ратехина алиби. В ночь покушения он дежурил в управлении и сидел за пультом. На секунду не отойдешь. Потому и выбрали этот день. В последний раз ее видели выходящей из министерства, где она не работала. Она упорно продолжала играть свою роль. Понятно одно. Маргарита знала, что находится под колпаком. Иначе зачем ей нужен этот затянувшийся спектакль?

— Все понятно. Но если на мою мать работали опытные сыщики, то почему не докопались, чем Марго занимается на самом деле? — негодовал Роман.

— Это мы сейчас знаем. В то время все считали иначе. Женщина вовремя возвращалась домой. Если она задерживалась и приезжала поздно, то ее на своей машине привозил Юрий Ратехин. Из машины она выходила с цветами. И я не думаю, что в этом случае Ратехин принимал участие в ее играх. Полагаю, он верил в то, что привозил любимую домой, где ее ждет дочка. Через десять минут Рита вновь оказывалась на улице и начинала новую жизнь.

Роман немного помолчал и спокойно сказал:

— Тут логика очень простая. Если у Марго есть другая квартира для жилья и она ее скрывает, то ей нет необходимости бегать туда, чтобы переночевать. Спать можно и в доме, где живет мать с дочерью. Не надо каждое утро возвращаться и делать крюки. Тут есть только два оправдания. Либо она вышла замуж и обязана возвращаться к мужу, либо она работает по ночам.

— Проституция?

— Ну, с ее классом она может работать на международном уровне. Нельзя же забывать, что ей приходилось кормить дочь и мать, да и о себе не забывать. Убийцей мог быть человек из другой жизни, а не из той, что лежит на поверхности. Мы же ничего не знаем. Одни догадки. Меня заинтересовала ее брошь. Вещь очень дорогая.

— Вы говорите о заколке в волосах? Да, вещь старинная. Девятнадцатый век. Я думаю, она стоит не меньше ста тысяч долларов. Если ее выставить на аукцион. С рук такие раритеты не купишь. Семейная реликвия.

Роман разложил снимки.

— Вот фотографии, выложенные вами. Здесь есть три снимка, где Маргарита возвращается домой. Зима. А у нее легкое пальтишко, шерстяные колготки и обычные сапоги без каблуков. Скромная неприметная женщина. Вот снимок жертвы с окровавленной головой. Здесь мы видим блондинку в дорогой норковой шубе, в сапогах из замши на шпильках, в чулках со стрелками. У нее юбка задралась до трусиков. Однако эксперты не зафиксировали изнасилования. Странно. Местечко удобное. Значит, Марго скидывала свой скромный наряд и где-то переодевалась. Одежда не для улицы, да и не для панели. Панельные шлюхи одеты скромнее и теплее. Похоже, ее привезли в этот двор из ресторана или отеля. Возможно, из квартиры. Везли живой. Убивали во дворе. Удивительно то, что она не сопротивлялась и поехала в убогий район, где таким дамам не место. С ее-то умом, чутьем и хитростью? Верится с трудом. В район Печатников можно проехать по Шоссейной улице от Волгоградки. Ни одного поста ГАИ. Или из Марьино под железной дорогой. Город в городе. С одной стороны Москва-река, с другой — железная дорога. Марго москвичка и город знает. Зачем она поехала в такое место?

Предполагаемый ответ. Либо она ехала по делу, нам непонятному, либо находилась в бессознательном состоянии. В нападение местной шпаны я не верю. Ее бы ограбили. Такая шубка стоит недешево, а снять ее можно за пару секунд. И сумочка валяется рядом. На этом снимке разложено содержание сумки. Деньги. Немало. И даже валюта. Но меня заинтересовали ключи. Это не ее ключи. Они от сложных замков. Вряд ли в доме матери такие стоят. Но можно и проверить. И среди них нет ключа от навесного замка. Того, что висит на дверях соседнего подъезда, через который она выходила на улицу.

Матвей с умилением смотрел на гостя и улыбался.

— А вы талантливый человек, Роман.

— Наблюдательный. Наследственное.

— Это хорошо. Но я хочу понять вашу цель. Вы выслушали мой отчет. Мы шли до конца и уперлись в тупик. После исчезновения Риты из больницы еще два месяца глаз не спускали с подполковника Ратехина и с бывшего муженька Семена Пекарского. Глухо. Никаких связей с Ритой. Где она? И вернулась ли к ней память? А если ее добили? Скорее всего.

— Надо приоткрыть люк, ведущий к ее второй жизни. Там лежат все ответы на неразрешимые задачи. Но мы же знаем, что дочь Риты и ее мать живы. Их-то нетрудно найти. Вы готовы мне помочь? Я могу заплатить.

Матвей думал недолго.

— Напарника я вам найду. Тоже человек талантливый. Но он денег с вас не возьмет. Ему нужен партнер. Речь идет о грабителях. Но это не ваш профиль. Вы человек честный.

— Я шесть лет отсидел за свою честность. Бок о бок с грабителями и ворами. Одно условие. Без четкого плана я не работаю. Схема должна быть безукоризненной.

Матвей расплылся в улыбке.

— Как вы похожи. Глеб такой же гурман и эстет. Но в отличие от вас он везунчик. Однажды его брали в ресторане. Бежать некуда. Капкан захлопнулся. Он это понял, когда его засекли в окне с улицы. Он встал, взял салфетку, перекинул ее через руку и достал блокнот с карандашом. Сосед по столику, которого он не знал, обалдел. Рафинированный интеллигент превратился в официанта. Двое подошли к столику и арестовали соседа. А Глеб ушел через кухню.

— Хорошая фантазия.

— И надежный партнер.

Старик разлил водку по рюмкам

8

Два года назад

За дальним столиком ресторана Снежана сидела одна. Парик, очки, косметика, впервые она делала все, чтобы не походить на саму себя. А все потому, что она, точнее ее сестра Рита, сидела в том же зале с кавалером и паспортом Снежаны. Красивая, обаятельная и привлекательная. Она перекрасилась в блондинку, и они стали неразличимы. Кандидат в мужья никак не отличался от серой толпы. Обычный, набитый деньгами мешок. И ради этих денег ложиться в постель с таким чудовищем? Нет, конечно. Рите нужен риск. Она вступает в схватку и должна в ней победить. В этом весь смысл аферы. Но когда-то она проиграет. Даже гении не могут предусмотреть всего на свете. Людей губят не просчеты, а обычные примитивные случайности. Осматривая зал, Снежана заметила трех мужчин, сидящих через два столика от сестры. Такую яркую женщину невозможно не заметить, но они смотрели на Риту без особого восторга. Их интересовало совсем другое. За ней наблюдали. Скорее всего, люди ее кавалера. У мешка денег должны быть телохранители. Нормальный расклад. Если они постоянно наблюдают за своим хозяином, то из ее затеи ничего не выйдет. У этого парня полно врагов. По-другому и быть не может.

Рита тем временем веселилась, сверкая яркими глазами и жемчужной улыбкой. Мужчина, сидящий напротив, не мог на нее насмотреться.

— Помимо внешних данных, вы еще и умны, Снежана.

— Редкий комплимент, Андрей. Мужчины редко ценят женский ум. Предпочитают дурочек. С ними проще.

— Дело вкуса. Постель — важная составляющая, но если с женой можно поговорить о чем-то интересном, то ей цены нет.

— Возможно, если речь идет о жене и долговременных отношениях. Общаясь долгое время с дураками, сам начинаешь деградировать.

Андрей Злотвер вынул из кармана маленькую коробочку и положил ее на стол перед девушкой. Она многозначительно взглянула на него. Она не строила удивления на лице. Такие случаи с ней бывали. Он это тоже понимал.

— Размер на глаз определили? — спросила Рита.

— Нет. Покопались в ваших драгоценностях. Мои люди побывали у вас дома. В качестве водопроводчиков. А заодно и кран в ванной сделали. Но меня интересовал ваш паспорт. Нет ли в нем штампа из загса. Безобидная шалость.

— Сегодня шалость, а завтра угроза.

— Нет. Могу быть лишь защитником. Я умею ценить все, что достается с большим трудом. Не мальчик уже, все вижу и понимаю.

Коробочку Рита не стала открывать.

— У вас много врагов, Андрей?

— Хватает. Вряд ли я умру своей смертью.

— А я останусь вдовой? И уже не такой яркой и молодой?

— Но очень богатой.

— Вы вновь пытаетесь меня купить?

— Не купить, а дать гарантии. Бизнес вам не нужен, он останется партнерам. Это сбережет вам жизнь. Дом, квартира, пять машин и наличность останутся вам. Завещание я составлю до свадьбы. Я зарабатываю больше, чем трачу. Скоро придется покупать второй сейф. Деньги ваши. Можете тратить сколько хотите.

— А как насчет квартиры в Париже? Мечта детства.

— Без проблем. Подарю вам ее на свадьбу. Мало того, я делаю закупки во Франции у «Пежо» и «Рено». Если открыть там постоянный филиал и сделать вас директором, то вы получите вид на жительство. Вопрос с визой отпадет сам собой. Будете покупать билет во Францию, как на пригородную электричку.

Рита улыбнулась.

— От такого соблазна невозможно отказаться.

— Мы можем обвенчаться в православном храме в Париже. В храме Александра Невского.

«Этот тип сумасшедший», — подумала Рита.

Она взяла со стола коробочку с кольцом и, не глядя, бросила ее в сумочку. Андрей с облегчением вздохнул.

* * *

Машина следовала на небольшом расстоянии. Рите пришлось ехать на Таганку. Знаменитый дом знали все, но в каком подъезде жила Снежана, Рита не знала. Мало того, она не запомнила ее мобильного телефона. Вот и первый прокол. Людей Андрея Рита сфотографировала в своей памяти еще в ресторане. Но она не думала, что они будут ее преследовать. Какой в этом смысл? Надо пропустить Снежану вперед. Они поменялись машинами. Свою белую «Ауди» она увидит издалека. Снежана сообразительная, сама позвонила сестре.

Рита остановилась возле супермаркета и долго гуляла по магазину, придирчиво изучая этикетки со сроком годности. Следаки за ней не пошли, остались ждать в машине. Телефон сам позвонил. Рита достала аппарат и ответила. Голос Снежаны звучал взволнованно.

— Их трое. Они сидят у тебя на хвосте. Темно-синий «БМВ». Ждут, когда ты выйдешь из магазина...

— Я все вижу, дорогая девочка. Какой номер твоего подъезда? Мечтаю познакомиться с твоей мамочкой.

— Четвертый подъезд. Ко мне не заходи. Пятый этаж, квартира сто восемь. Буду ждать тебя там.

— Правильно. Не топчись под ногами.

Рита убрала трубку, закончила покупки и вышла из магазина. Снежана следила за мужиками, но делала это профессионально. А вот Рита своих преследователей видела, а свою белую машину не заметила. Снежана много раз уходила от слежки, даже школу экстремальной езды окончила.

Рита не торопилась. Она медленно поехала в сторону Таганки. Хвост не отставал. Возможно, она допустила еще одну оплошность. Телефонные разговоры можно сканировать. Этот номер знал Андрей Злотвер. Если его любопытство заставило залезть к Снежане в квартиру, то подслушивать ее разговоры сам бог велел. Хуже всего, что они могли услышать названный Снежаной адрес. И эта дурацкая фраза: «Домой ко мне не ходи». Сейчас уже поздно что-либо менять. А главное, что у сестер не похожи голоса. У Снежаны нежный и воркующий, а у Риты низкий, бархатный.

Адрес она нашла безошибочно. Зов крови привел ее куда надо, будто она слышала подсказки. Дверь открыла Снежана.

— Этот тип не даст себя убить, — произнесла она со страхом в глазах.

Рита втолкнула сестру в квартиру.

— Не будь дурой! У меня уже обручальное кольцо в сумке.

Они прошли в комнату, и Рита высыпала на стол продукты из пакета.

— Выпивка есть? Неси.

Опи усслись в кресла, и гостья оглянулась.

— Еще одни хоромы. Не многовато ли?

— Квартира друга моего отца. Цветы поливаю. Он дипломат. Живет с женой за границей. А я тут уединяюсь.

— Хорошая берлога для волчонка.

— Послушай, Рита. Этих придурков я еще в ресторане срисовала. От них ментами за версту воняет.

— А ты думала, он возьмет в телохранители бомжей с улицы? — сестра рассмеялась. — Нет, Андрей не так прост, как нам того хочется. Сыщики тоже грамотные. Но они меня недооценивают. Так и должно быть. Ты их засняла, я их засекла — уже плюс. Нас двое, Снежана. Вот об этом они не должны знать. И торопиться мы не станем. У Андрея много врагов. Создание семьи создаст лишние хлопоты. Появится наследница. Паршивый расклад. И вот о чем я подумала. Злотвер не следит за мной. Он меня охраняет. Наша задача — вычислить его врагов. Выявить сильнейших. А потом войти с ними в сговор. Нам нужно устроить покушение на мою жизнь.

У Снежаны округлились глаза.

— Тебе только сценарии боевиков писать.

— Если мы не будем усложнять себе задачи, то не получим достойного опыта. Каждый шаг — это игра ва-банк.

— Я не смогу его убить, — с испугом произнесла Снежана.

— Значит, это сделаю я. Только под венец с ним пойдешь ты.

Снежана вздрогнула.

— Боже упаси. Он же урод!

— А ты хотела молодого, красивого, богатого и холостого ко всему прочему? Значит, я должна спать с ним, а ты пенки снимать? Так не бывает.

Сестра возразить не смогла. Рита давила на нее как удав на кролика. После паузы Рита продолжила:

— Я хочу знать, с кем он спит. Мужик не может столько терпеть. Я откровенно его дразню, после нашей встречи он должен получить то, чего не получает от меня. На шлюх он клевать не будет. У него есть парочка постоянных баб. Нам надо выбрать нужную.

— И что это изменит? — наморщила лоб Снежана.

— Убийством займемся мы. Но подозреваемой станет та, с которой он спит. Я уже все продумала.

— Жил человек, пыхтел, деньги копил — и на́ тебе... Кирпич на голову, и все проблемы решены.

— Он не жилец, сестренка. Пожалуй, и сам это понимает. Оттого и деньги ему не нужны. Ему дай то, чего он ссйчас хочет. Очень хочет. На все остальное нужно время. А его у него нет.

* * *

Встречаются совершенно неприметные личности. Их никто не замечает. Кирилл Майский относился к этой категории людей. В нем не было ничего запоминающегося. Безлик. Описать очень трудно. Рита называла его Кешей. Он напоминал ей любимого актера Смоктуновского. Об умении Смоктуновского перевоплощаться говорили все. Но о его внешности — никто. Но стоило над его лицом поработать гримеру, и актер превращался то в старика Циолковского, то в гения Чайковского, не говоря уже о Гамлете, где он был просто красавцем.

Рита тоже экспериментировала над внешностью своего подопечного, считая его лицо пластилином, из которого можно слепить что угодно. Кириллу-Кеше нравилось подчиняться красивой женщине. Однажды он ее подвез до нужного места, подрабатывая извозом. Денег с нее не взял, а оставил свою визитную карточку. И как-то ей понадобился шофер, и она ему позвонила. Он приехал. Но она не могла его вспомнить. Кирилл сам ее узнал. А ведь Рита рисковала. У дамочки в кармане лежала куча ворованных денег, и мелькать перед чужими глазами с ее внешностью очень опасно. Обошлось. Они смылись.

— Ты хорошо водишь машину, мальчик.

Он не обиделся, а лишь усмехнулся.

— Если нас накроют, то я пойду под суд. Лет пять получу. А ты года два, как соучастник.

— Груз тяжелый? — спросил он.

Она его не сразу поняла, потом расхохоталась.

— Две тысячи баксов.

— По твоим глазам можно подумать, ты сто унесла.

— По глазам? — удивилась Рита.

— Конечно. Я сразу все понял. Главное, работать с размахом и ничего не бояться. Тогда не попадешься.

— Ну надо же?! Какой ты умный. Может, научишь?

— Тут учить нечему. За тебя внешность работает. Быть клофелинщицей нетрудно. Двух трюков хватит, плюс шарм, фигура и доза.

— В сообщники пойдешь? Мне шофер нужен. Машину я тебе свою дам. Четверть от выручки твоя.

— Звонить ты мне звонила, а визитку читала?

Рита покопалась в сумочке и достала визитную карточку.

«Кирилл Алексеевич Майский.

Частный детектив».

— Батюшки! Трепещу от страха. И много дел раскрыл?

— Ни одного. Клиентов нет. Я ведь не из бывших. Лицензию дед выбил. Он ветеран МВД. Я юридический окончил. Хотел стать адвокатом. Но и там лапа нужна. Сижу на мели. Так что согласен на тебя работать. Да и глаз у меня верный. Замечаю то, что другие не видят.

Сотрудничество оказалось успешным и плодотворным. А главное, Кеша умел скрывать свои чувства. Она знала, что он в нее влюблен, но парень держался. Он никогда не звонил ей первым, а лишь отвечал на ее вызовы. Рита стала к нему привыкать и даже жалела парня. Но работа есть работа. Грань пересекать нельзя. И вот он вновь ей понадобился. Они не виделись больше недели. Рита перестала выходить на охоту. Она готовилась к новой афере. Устала шляться по кабакам и номерам. С ее умом, чутьем и хваткой можно горы свернуть. Пора проверить свои силы на настоящем деле. Панель от нее никуда не денется.

Майский приехал в знакомый кафетерий, где они встречались по утрам и строили планы на вечер. Точки проверял Кеша. Они должны быть чистыми. Такими, где Рита не наткнулась бы на одного из отработанных клиентов, а он знал всех и на каждого заводил досье. Она же мужчин не запоминала.

— В отпуск ездила? — спросил он, присаживаясь за столик.

— Болела. И продолжаю болеть. Хочу избавиться от наследственности. Отдать ей дань и стать нормальной женщиной.

— Боюсь, я тебя не понимаю, Рита. В первый раз со дня нашего знакомства. О чем ты?

— Во мне поселился дракон, жаждущий крови. Если я его накормлю, то выгоню его из своей души. Ты же сыщик, а не психолог. Тебе не понять. И не пытайся. Шизофрения. Навязчивая идея. Крыша поехала. Потеряла покой. Мне снится один и тот же сон. Я беру на руки свою дочь и прыгаю с ней в пропасть. В ней тоже сидит наследственный корень. Надо истребить эту заразу.

— Переступив черту однажды, ты уже не вернешься к нормальной жизни. Ты повесишь на себя смертельный грех. А потом будешь убивать вновь и вновь либо сойдешь с ума по-настоящему. В медицинском смысле этого слова.

Кирилл разговаривал спокойно, без эмоций. Рита переутомилась, и ей в действительности нужен полноценный отпуск. Жизнь в постоянном напряжении оставляет свои необратимые следы. Нужны кардинальные перемены. Но что может изменить профессиональная проститутка с великолепными данными? Стать домохозяйкой? Нянчиться с детьми и торчать на кухне?

— Ты ведь была замужем. У тебя имеются представления о семье. Может, еще раз попробовать?

— Мой муж был отъявленным мерзавцем, вором и вымогателем. Его спасали лишь погоны. Он любил посещать субботники. Это когда панельные шлюхи бесплатно обслуживают ментов.

Я тоже в стороне не стояла. У меня были любовники. А одного врача я дажс любила. Потом его предала. С испуга. До сих пор жалею об этом. Семья положения не спасет. Все мои клиенты женатые мужчины. Приходится их наказывать. Так вот, Кеша. Один прохвост и ворюга оказался холостяком. Некий Андрей Ефимович Злотвер. Он решил на мне жениться, а я решила его убить. Если меня поддержат его враги. Их у него много, как и у любого российского капиталиста, сделавшего себя миллионером на крови друзей, партнеров и конкурентов. Я хочу знать, с кем он делит одинокую постель. Меня интересуют его любовницы.

— Это не так сложно. Но с чего ты решила, будто он замешан в убийствах?

— Он убил свою жену. И я не уверена, что она была первой жертвой. Ему уже пятьдесят. Будет время, разберись с его женами. Возможно, мы имеем дело с Синей Бородой.

— Зачем он тебе? — удивился Кирилл.

— Безобидного бухгалтера убивать незачем. Должна же я как-то оправдываться сама перед собой. Убийство еще не стало моей привычкой.

Теперь он верил в серьезность их разговора. За время их отношений Рита никогда не изливала перед ним свою душу. Женщина-загадка. Этим она его и покорила. Сейчас он видел перед собой настоящего монстра. И разговоры о наследственности — безумный бред!

9

Они очень мило разговаривали. Хороший ресторан, отменный ужин, выпивка и любимая тема для разговора — женщины. Аркадий Львович Пацкевич знал двоих из присутствующих. Старые партнеры по преферансу, третьим был пожилой мужчина, которого пригласили специально для налаживания отношений. По слухам, он имел несколько подпольных притонов с элитными проститутками. Аркадий Львович таял при виде красивых женщин. Эта слабость появилась у него, как только в кармане завелись деньги. На женщин он тратил немало, но прибыль росла быстрее, чем затраты на свое хобби, и с каждым разом женщины становились моложе и красивее. Сейчас он мог себе позволить любую сумму, если товар ему понравился.

— Есть профессионалки с бешеной фантазией, — не умолкая, рассуждал Аркадий. — От одной я сходил с ума. Подцепил ее в баре. Случайно. Обычно я не снимаю женщин со стороны. Предпочитаю проверенных, из клуба. А тут не сдержался. Ее ножки меня с ума свели. Она не кривлялась, а сразу назвала цену. Семьсот долларов. Я о таких ценах даже не слышал. Бар отеля «Космос». Там в основном иностранцы живут. Девочка валютная. На нее не только я положил глаз. Стоит отойти, и ее перехватят. Я своего шанса не упустил. Пришлось раскошелиться. Но у нее даже номера своего не было.

Позвонил партнеру по бизнесу, к которому я приходил в «Космос». Он меня потом и разбудил. Нет, она не клофелинщица. Обслужила как надо, но я отрубился позже. Конечно, она мне что-то подсыпала, но не сработало. Пришлось ей стараться. В кармане я недосчитался двух тысяч долларов. Партнеру я отдал не все деньги. К счастью, наша встреча состоялась после моего свидания с партнером. Я передал ему целый портфель денег. И он его в номере не оставил. Умный уже. Сдал на хранение в администрацию. У них есть ячейки для своих клиентов. Девушка исчезла. Искать бессмысленно. В «Космосе» по два бара на этаже, везде принимают валюту. Глухой номер. И доказательств никаких. Но у меня есть две приметы. Первая. На правом плече девушки стояла татуировка. Очень скромная. Розочка, а вместо ножки с шипами отросток от колючей проволоки. Сделано грамотно и профессионально, но не ярко и не крупно. Рисунок придавал дамочке шарма. И вторая зацепка — ее яркая внешность, и особенно фигура, хотя молоденькой ее не назовешь. Лет двадцати пяти. Так вот, эту кралю запомнил мой шофер, который ждал меня у входа в отель. Он далеко поставил свою машину и боялся, что я ее не найду. Решил дождаться меня у дверей. Без визитки в холл его не пустили. Он эту красотку запомнил. Она вышла и остановилась у обочины. Через минуту подъехала белая «Ауди», и она села в машину. Восьмая модель, представительский класс. Очень необычно. По идее, при большом желании ее можно найти. Но я не стал этого делать. Пусть гуляет. Уважаю профессионалов. А я оказался лохом. Так мне и надо. И потом, она стоит потерянных денег.

Внезапно голос подал третий слушатель, которого Аркадий видел впервые:

— А как ваша жена реагирует на ваши шалости?

— Жена? — удивился толстяк с короткими ручками. — Котик все понимает. Ей пятьдесят, и она, как и я, страдает ожирением. Там от женщины уже ничего не осталось. У нее плечи шире моих. А у меня потребности, как у мальчишки. Просто я стараюсь быть нежным с женой. Никогда на нее не кричу, делаю подарки, хорошо отношусь к Ваньке. Ванька — это ее сын от первого брака. Я ему машину подарил на день рождения. Бестолочь и лодырь. Живет за счет жены. Ни на что не годен. Один у него плюс. Не пьет и не курит. И язык умеет держать за зубами.

— Вы так и называете его Ванькой? Он же взрослый.

— Нет, конечно, Матвей Николаевич. При жене я зову его Иваном. В семье должен быть мир. Мне враги не нужны. Особенно те, которые обо мне и моих делах знают слишком много. Себе дороже выйдет.

— Тут я с вами согласен, — кивнул улыбчатый Матвей. — Могу посодействовать вашим потребителям. Но цены у меня тоже высокие. И товар отменный. С гарантией, и не старше двадцати лет.

У Аркадия загорелись глаза.

— Есть и моложе?

— От пятнадцати.

Клиент заерзал на стуле.

— А сегодня можно? Чего время тянуть?

— Конечно можно. Вы на машине?

— У меня шофер. Он приклеен ко мне. Машина возле ресторана стоит. Можем ехать в любую минуту.

Матвей Николаевич выложил на стол визитную карточку.

— Придется ехать за город. Но это недалеко, адрес указан здесь. Приедете — и ждите. К вам подойдут. А я позвоню и назову номер и марку вашей машины. У нас конспирация. Тем более что вы новенький. Потом вам выдадут дисконтную карту постоянного клиента, и вы будете пользоваться скидками.

— Прекрасная идея, — похлопал в ладоши Аркадий и назвал номер своей машины.

Он неторопливо встал и заторопился к выходу. Матвей его проводил, похлопал по плечу и пожелал удачи в новых начинаниях. При этом Аркадий остался без мобильного телефона, пропавшего из внутреннего кармана. Матвей вспомнил молодость. Когда-то он был лучшим карманником знаменитых Сокольников. Уважаемая профессия. Элита воровского мира. Щипачи всегда были в почете.

Аркадий отдал визитную карточку шоферу, сел на заднее сиденье и через десять минут крепко уснул. Не везет мужику.

Матвей вернулся к столу и положил перед приятелями по пачке денег.

— Спасибо за работу, господа. Следующий раз у него не будет денег, чтобы садиться за карточный стол.

— Нам он только мешал, — усмехнулся лысый. — Слишком глазастый.

Матвей улыбнулся и вышел из ресторана.

* * *

Жена Аркадия лепила пельмени. Она старалась. Каждый вечер готовила для него сюрпризы. Надо приучать его к дому, а то совсем распоясался, уже и ночевать не приходит.

Зазвонил мобильный телефон. Высветился номер Аркаши. Она вытерла руки и взяла трубку.

— Котик, молчи и слушай. Каждая секунда на счету. К нам выехали сотрудники ФСБ. У них ордер на обыск...

— Говори громче, Аркаша. Не шепчи.

— Помолчи. Не могу громче. Меня арестовали. Сгребай все, что есть в доме, и отнеси к Ивану. Больше я никому не доверяю. Все слышала? В доме ничего не должны найти. И живо. Они уже в пути.

В трубке раздались короткие гудки.

Женщина села, едва не промахнувшись мимо табуретки. Пошарив рукой по столу, она нащупала флакончик с валокордином и, открутив пробку, сделала большой глоток. Это конец! Все! Сначала облава в банке, теперь обыск. Аркашу вычислили. Нет. К Ваньке нельзя. Сына легко просчитать. На вокзал! В камеру хранения!

Она сорвалась с места, достала из шкафа большую спортивную сумку и начала шарить по углам и поднимать фрагменты паркета. Деньги, золото, камни были разбросаны по всему дому, даже в воздуховоде в ванной, под матрацами, под крышками столов на скотче, в ножках пианино. Полная женщина металась по квартире как девочка. Невероятная целеустремленность, память и скорость. И все зря.

Выйдя из лифта, она напоролась на двоих высоких интеллигентных мужчин, очень прилично одетых и очень строгих.

— Софья Давыдовна? — спросил один из них.

— Да, это я, — у женщины ноги налились свинцом, а на глазах появились слезы.

— Все в сумке? — спросил другой, показывая удостоверение.

— Да, все.

— Поверим, — сказал другой. — Продолжать обыск не имеет смысла. Возвращайтесь домой и ждите следователя. Он уже выехал к вам, так что в управление вас везти без надобности. Потом вам предстоит очная ставка с мужем.

Мужчина взял из рук женщины тяжелую сумку и как бы взвесил ее, слегка приподняв.

— Лет на пятнадцать потянет. Идите домой.

Она не могла идти. Присела на корточки возле лифта и зарыдала. Аркаша ей этого не простит.

Мужчины вышли из подъезда и сели в черную «Волгу». Вот только номер ее был заляпан грязью.

Машина тронулась с места. Через десять минут они заехали во двор и наконец-то заговорили.

— Я предполагал, что нам придется шарить по квартире, — сказал Роман.

— Потеря времени. Расколоть преданную жену невозможно. Она сама обчистила все тайники и вынесла нам яблочко на тарелочке с голубой каемочкой.

— Хороший куш, — улыбнулся Роман. — Красиво сработано.

— А ты как думал. Нам надо сделать еще одну ездку.

— Сейчас?

— Конечно. «Куй железо, не отходя от кассы», как говорил Лелик из «Бриллиантовой руки». Но здесь дело будет посложнее. У нашего подопечного в нише стены стоит очень надежный сейф. К тому же он дома и добровольно код замка не выдаст.

— У тебя есть план? Рассказывай.

— На лестничной площадке есть еще одна квартира. Напротив. Она меня смущает. Но надеюсь, дед Матвей сообразит, что делать.

— А при чем тут соседи? — удивился Роман.

— Могут панику поднять. А зачем? Панику поднимать будем мы.

— Ладно. С соседями я сам справлюсь. Только надо заехать за моим чемоданчиком.

Глеб загадочно улыбнулся.

* * *

В дверь сорок восьмой квартиры позвонили. На пороге стоял врач в белом халате, высокий, симпатичный, в очках, с рыжей бородкой и чемоданчиком с красным крестом.

— А мы врача не вызывали, — удивленно произнесла молодая женщина.

— Если Магомет не идет к горе, то гора идет к Магомету. У нас отчетность. Ваша семья не сделала антигриппозные прививки. В Москве сезон эпидемий. Грипп штука очень неприятная.

— Это точно. Прошлой осенью мой сын долго болел. Заходите.

В квартире оказались сын, бабушка и отец. Жена всех уговорила, напомнив о прошлогодней эпидемии.

Доктор лишь улыбался. Он любил активных женщин. Уколы были сделаны всем, быстро и профессионально. Ампулы врач забрал для отчетности. Пять минут, и все дела. Хозяйка с благодарностью проводила врача.

Роман вышел на площадку, поднялся по лестнице на один пролет и снял халат. Его поджидал Глеб.

— И что теперь? — спросил он.

— Через пять минут они будут спать как убитые.

— Хороший фокус, Рома. Ты так обаятелен, особенно с приклеенной бородкой, что тебе невозможно отказать. Ну, просто святой, только крылышек не хватает. Марк Балановский тоже клюнул бы. Он очень себя бережет. Но мы не знаем кода его сейфа. Его он под дулом пистолета не откроет. Человек воровал всю жизнь.

— А если в сейфе ничего нет?

— Есть. Он два дня назад опустошил свою ячейку в банке. А с его доверчивостью он и матери не верит.

— Хорошо, приступим.

Они спустились на ту же площадку. Глеб достал две дымовые шашки и поджег их, после чего надел противогаз и встал на ступеньках за углом холла. Площадку заволокло дымом. Роман позвонил в сорок девятую квартиру. Когда замок щелкнул, он крикнул:

— Спасайтесь! Горим! Пожар!

Дверь приоткрылась. Марк Филиппович Балановский выглянул наружу. Едкий дым проник в квартиру. Он ничего не видел дальше одного метра. Темная тень скользнула к лестнице. Кто-то убегал.

На раздумье не оставалось времени, сгорать заживо Марк не собирался. Он нервно засуетился. В первую очередь нужно одеться. На улице похолодало, а он в пижаме. Уже спать собирался. Чемодан. Где чемодан? В кладовке! И тут произошло главное событие. Балановский открыл сейф и начал сгребать деньги в чемодан.

Из квартиры он выскочил пулей через пять минут. До лифта не добежал. По голове что-то стукнуло. Он потерял сознание. Обратно в квартиру его затащил Глеб. Роман поднял с пола дымовые шашки и тут же отнес их в туалет. В унитазе они погасли.

— Он скоро очнется, — сказал Глеб.

— Не скоро, — Роман сделал бедолаге укол.

Дым на лестничной клетке быстро рассеялся. Мужчины вышли на улицу и сели в черную «Волгу». Чемодан бросили в багажник, как мешок с картошкой. На сегодня они план выполнили и поехали на дачу к Матвею. По дороге сменили машину. Угнанная черная «Волга» им больше не нужна. В этой поездке был свой риск. Глеб находился в розыске, его могло выручить лишь удостоверение ФСБ. Но подделка делалась в спешке, и ее могли проверить. У Романа имелся паспорт на имя Никиты Корзуна. Теперь подлинный, с его фотографией, но водительское удостоверение он сделать не успел. За руль садиться нельзя. Рискнули. И сегодня им повезло в третий раз. Они сумели добраться до дачи без новых приключений.

Дед Матвей их уже ждал.

* * *

На ковре в гостиной лежали рубли, доллары, евро, фунты, и все деньги в пачках, перетянутые резинками. Камни всех цветов в баночках с крышками, золото в небольших слитках, самородках и в ювелирных изделиях. Зрелище незабываемое. Можно часами смотреть и умиляться. Однако хозяин дачи, пожилой мужчина, и двое молодых сидели перед камином и попивали теплый коньяк из пузатых бокалов. За окном лил дождь. Октябрь не радует своей погодой. Разговаривали они тихо, без эмоций, и вид у них был скорее озабоченным, чем радостным.

— Одному мне не под силу справиться с такой задачей. Вы люди опытные, квалифицированные, и я смею надеяться на вашу помощь. Я выполнил ваше условие. Принял участие в сегодняшних аферах. Может, моя роль и не велика, но я выполнил все указания Глеба. Снимаю шляпу перед его талантом. На долю из добычи не претендую. К деньгам я равнодушен, они у меня есть. Я продал две большие престижные квартиры и купил себе одну маленькую для жилья. Мне хватит. Что скажете?

Роман осмотрел своих новых друзей в ожидании ответа. Матвей соединил подушечки пальцев и откинулся назад на спинку кресла, прикрыв глаза.

— Госпожа Марго и нас интересует, Рома. Она жива, здорова и ума не лишилась, после того как ей проломили череп. Я тебе не все рассказал при нашей встрече. Оставались сомнения. Фото Марго с места происшествия делали фотографы-криминалисты. Но женщина оказалась живой, и ее отправили в больницу. Если бы она попала в морг, то сделали бы полное описание трупа со всеми особыми приметами, включая зубные коронки и пломбы. Я не сомневаюсь в том, что жертвой стала Маргарита Пекарская. Тут нет сомнений. Чудо заключается в другом. Она жива, находится в отличной форме, действует и живет под другим именем. А теперь я хочу задать тебе, Роман, один важный вопрос. Какую особую примету ты помнишь и как можно опознать Риту?

— Татуировка на правом плече. Розочка на ножке из колючей проволоки. Рисунок ее не портил.

Глеб насторожился, он даже вздрогнул, будто его кто-то уколол.

Старик заметил это и продолжил:

— Для этого я и познакомил вас. Вы оба спали с этой женщиной, и обоих она наказала. Роман отсидел ни за что шесть лет, потерял мать и лишился достойной карьеры. Глеба она сдала полиции, и ему грозил срок не меньше. Другое дело, что Глеб умеет выкручиваться из любых ситуаций.

— Я не уверен в ее вине, — оправдался Глеб. — Она взяла бы деньги себе, а не сдала бы меня с чемоданом ментам. Как-никак полмиллиона долларов. И потом, она ничего не знала. Никаких деталей.

— Знала, Глеб. Ты провел с ней три дня на даче. И сам говорил о своем странном состоянии, будто тебя накачали наркотиками. Скорее всего, ты сам рассказал ей о своих планах в полубредовом состоянии. Потом Марго исчезла, как всегда это делает. Аркадий Пацкевич, которого вы сегодня обчистили, поведал мне историю, как он снял валютную проститутку в «Космосе» и она его обчистила, подлив ему какого-то зелья. И так же бесследно исчезла. А еще он помнит розочку на ее плече и знает, что ее возит парень на белой «Ауди-8». Ваша дама, господа, элитная проститутка. Я думаю, что денег у нее не меньше, чем лежит на ковре в нашей комнате. Хорошо работает. Чтобы обдурить Глеба, нужен большой талант. Она его обокрала, не напрягаясь. Красота всегда была лучшим оружием против мужчин. А если к этому добавить мозги, то лучше сразу сдаваться. Есть ответ и на главный вопрос. Почему Марго отказалась от добычи Глеба. Дело в том, что деньги меченые. Новенькие сотни в банковских упаковках одной серии. Идут подряд и в обороте еще не светились. Нас это не пугало. Мы их должны были передать азербайджанцам, и они уехали бы из России. Но Марго с таким багажом связываться не хотела. А теперь, Глеб, вспомни: кто тебя брал в электричке и кто допрашивал первым?

— Такую скотину не забудешь. Подполковник Ратехин.

Теперь вздрогнул Роман.

— Вот-вот. Ратехин, тогда еще капитан, был свидетелем обвинения на суде Романа. Потом стал любовником Маргариты. Она его сделала своим рабом. Теперь понятно, кто тебя сдал и кому. Ратехин скоро полковником станет.

— Об их связи можно доложить бывшему мужу Риты. Семену Пекарскому. Он с ним быстро разберется, — предложил Роман.

— Плохая идея. Кто с кем разберется, еще вопрос. И кроме лишней шумихи мы ничего не добьемся. Марго и без того женщина осторожная. Она ляжет на дно, и вы ее никогда не найдете. Окружение женщины должно исчезнуть так же загадочно, как умеет испаряться сама Рита. С ней надо воевать ее же оружием. В чистое поле на поединок она не выйдет. Она привыкла бить из-за угла.

Матвей разлил коньяк по бокалам и покосился на гору денег, лежащих посреди комнаты.

ГЛАВА ВТОРАЯ

1

Полтора года назад

Такая встреча состоялась. Маргарита даже ждала ее после того, как Андрей объявил о своей свадьбе и перезнакомил невесту со своими друзьями. Кто-то должен клюнуть. Она знала, что за ней теперь наблюдают сотни глаз, а не только халдеи Злотвера. Теперь Рита не рисковала. О клиентах пришлось забыть, Снежану она видела редко. Они придумали любопытный фокус. Сняли скромную квартирку на Таганке и там устроили гримерную. Важно было попасть в квартиру незаметно, остальное — дело техники. В квартире все имелось в двух экземплярах. Пальто, парики, трости, очки и прочее. Девушки переодевались в старух, горбились и едва передвигались с помощью палочек. За образец была взята соседка с девятого этажа дома Снежаны. Женщина выходила из дома не чаще чем раз в месяц, а летом и вовсе жила на даче. Вдова какого-то академика. Имела двух служанок и повариху. Вот на них бы не нарваться. Сестры оказались способными актрисами. В гриме они выглядели очень убедительно. Они могли войти в подъезд, не привлекая к себе внимания. Рита знала, что за домом Снежаны наблюдают люди Злотвера. Собираясь к нему на свидание, она приезжала в дом Снежаны под маской старухи. В квартире дипломата переодевалась и выходила уже королевой, садилась в свою «Ауди» и ехала на встречу.

В последнее время она делала все, чтобы люди ее жениха не могли удержать объект под наблюдением. Этому она научилась. Всю сознательную жизнь, связанную с риском угодить в ловушку, женщине удавалось выскальзывать, как рыбе из рук рыбака.

Она сидела в тихом милом кафе с чашечкой капучино и задумчиво курила. В этот момент он к ней и подошел.

— Какой приятный сюрприз, Снежана Аркадьевна. Неожиданная встреча. Позволите присесть?

Это был компаньон Андрея Вадим Коломиец. Один из немногих партнеров жениха, который не сидел за решеткой. Его она меньше всех подозревала в заговоре. Он часто спорил с Андреем, отстаивая свою позицию, и, как правило, оказывался прав. Можно сказать, Злотвер его удерживал возле себя, а тот хотел выйти из бизнеса.

— Конечно, садитесь, Вадим. Я тоже рада вас видеть. К сожалению, тороплюсь.

— Долго вас не задержу, — он вынул из кармана стопку фотографий и раскрыл их веером. На всех Рита занималась любовью с одним из клиентов. Она его не помнила. На одном из снимков она достает бумажник из кармана спящей жертвы. Серия снимков с подробностями. Хорошая работа. Она редко выезжала по адресам. Проверенные номера отелей — самые надежные точки для работы. Но приходилось делать исключения, если клиент был откровенным лохом.

— Это ловушка, Снежана. Ваш клиент отличный психолог. Он вас обыграл. Такую опытную профессионалку, как вы, трудно подцепить на крючок. Но нас прижали. Вы обчистили одного немца. На пять тысяч евро. Он нам пожаловался. Деньги мы ему возместили. Но нас за живое задело. Решили с вами разобраться. Полгода вас искали и нашли. В дело вступил наш специалист. Вы его видите на этих снимках. Лох лохом, не правда ли? Фотографии еще не все. У нас и видеосъемка есть. Можно было сдать вас ментам. Но это не наш стиль. — Он показал еще несколько фотографий. — А это контрольная закупка. Мы повторили эксперимент, но уже с другим спецом. Это он дал нам мудрый совет: «В такую женщину можно влюбиться. Она во вкусе Андрея. Если правильно раздать карты, то она нам поможет убрать его со сцены!» Идея нам понравилась, но Андрей не переваривает шлюх. Нам пришлось его обработать. Не вас, а его. Рискнули. Вы постоянно находились под нашим наблюдением. Уходить от слежки вы умеете. Но не от тридцати пяти соглядатаев. На вас бросили все лучшие силы. Вас вела целая рота моих сыщиков. Уйму денег потерял. Наконец мы привезли Андрея в то место, где вы находились. Помните день вашего знакомства? Вот-вот. Он вас сразу заметил, и у него заблестели глаза. Я тут же подыграл ему. «Эта дама, — сказал я, — очень богатая особа. И очень разборчива. Я не раз видел ее на высокопоставленных приемах. Вдова. Так мне говорили. Если ты будешь разговаривать с ней как с проституткой, то схлопочешь по роже. Ей нужен настоящий джентльмен. А может, и никто не нужен». — «Я все же рискну», — сказал Андрей.

Что было дальше, вы знаете. Вы оказались на высоте. Не зная нашего сценария и задумки, вы поразили нас своей интуицией. Оставить на столе полмиллиона и уйти! Невообразимо. Не тронуть полный сейф денег? Фантастика! Конечно, Андрей не спал. Парень едва не тронулся рассудком. Он носился по этажам и кричал: «Женюсь! Женюсь!» Партия выиграна благодаря вашему таланту. Низкий поклон.

Рита ухмыльнулась.

— Все правильно. Все состояние переписано на меня. Зачем мне таскать мешки с деньгами из сейфа, когда он и так мне все отдал. И что такое полмиллиона по нынешним временам? Для птицы моего полета это день работы. Но к чему вы мне так долго морочили мозги? Хотите подарить снимочки Андрею? Я не возражаю. Хороший подарок.

— Злотвер вам задаром не нужен. Вам нужно наследство, а мне его бизнес.

— Вот тут ты, Вадик, делаешь большую ошибку. Насчет меня ты прав. Ваш бизнес меня не интересует. Я получаю его деньги и недвижимость. Завещание видела своими глазами. Он его при мне диктовал двум нотариусам при трех свидетелях. Пять подписей плюс его. Фирма тебе не достанется. Она разделяется на семь филиалов. Ты будешь директором одного из них, а генеральным назначат... Впрочем, это уже не твоего ума дело. В итоге ты остаешься при своих. Жив Андрюша или мертв, погоды не меняет. Взойти на престол ты можешь, если начнешь войну. Один против шестерых тебе равных. Проиграешь. Это сейчас вы все заодно. Потом каждый начнет защищать свои интересы.

Маргарита шла ва-банк. Она знала, что Андрей назначил Вадима генеральным. Он все сделал правильно. Но никто не посмеет заинтересоваться его завещанием. Этим только выдаст себя и свои планы.

— На этот случай есть другой вариант. Злотвер должен оставить фирму тебе, — предложил Вадим. — А ты отдашь ее мне.

— С какой радости? Из-за этих карточек? Так их уже некому будет показывать. Мертвец их не увидит.

— Их увидит живой. И он на шлюхе не женится. А я остаюсь при своих в любом случае.

Значит, у меня нет заинтересованности делать тебя богатой вдовой.

Рита опять ухмыльнулась.

— Если я отпишу фирму тебе, то мне отомстят другие. При нынешних технологиях убийство не проблема. Снайпер может уложить любого с расстояния в два километра. И даже такие беззвучные винтовки уже устарели. Убийцу или заказчика искать бесполезно. Я всем мешаю, как бельмо в глазу. Андрюша мне сказал: «Фирму я тебе не оставлю. Хочу, чтобы ты еще пожила». Он мудрый мужик. Что касается денег, так у меня и своих хватает. Меня бесполезно шантажировать, Вадик. Я не панельная шлюха из Липецка, мерзнущая на трассе в капроновых чулочках с голой попкой.

— Значит, мы с тобой не договоримся? Я мог бы взять тебя под свою защиту. У меня везде есть свои люди. О снайпере я буду знать раньше, чем он сам о тебе узнает.

— Пустые слова. Ты не из тех, кому верят. По-умному делают не так. Работа сложная. Я должна убедить Андрея написать второе завещание. А первое переписать днем позже. Пятнадцатого числа он пишет завещание и оставляет фирму тебе. Тогда ко мне ни у кого нет претензий. Покойнику не отомстишь. Но шестнадцатого числа он пишет второе завещание, где говорится о недействительности первого и фирму он завещает мне. Это завещание я отдам своему адвокату. И если со мной что-то случиться, он его обнародует. Я же в свою очередь пишу завещание на раздел фирмы по равным долям каждому из партнеров. То есть повторяю сегодняшнее уже существующее завещание. Это стоящая идея. Андрей на нее пойдет. По сути, его воля не меняется, но я получаю защиту, и ты, дружок, будешь дрожать за мою шкуру больше, чем за свою. Сейф в банке имеет три замка. Ключи будут у двух адвокатов, которые не знают друг друга, а третий у директора банка, который знает обоих. Мое завещание будет лежать в этом сейфе. Сумеете подкупить одного, но он сейф не откроет. А еще я оставлю специальное распоряжение для третьего лица. Сейф можно открыть лишь при двух свидетелях, один из которых будет популярный журналист. Я же после сдачи ключей теряю право на открытие сейфа навсегда. И мои дальнейшие распоряжения недействительны. Вот так, Вадик! Тебя устраивают мои условия?

После долгого молчания он пробормотал:

— Черт в юбке!

— Спасибо за комплимент. Ну?

— Согласен.

— С кем сейчас спит Андрей? Я ведь его лишь дразню.

— Да есть у него пара красивых баб. Но тебе они в подметки не годятся.

— Хорошо. Как зовут ту, что соответствует моему облику?

— Катя Левашова. Высокая яркая брюнетка. Дерзкая баба. В свое время она им крутила, как хотела. Решила выйти за него замуж. Он с ней и сейчас спит. Но от тебя он потерял голову. И Катька для него стала всего лишь куклой. И, похоже, она это понимает.

* * *

Машина подъехала тихо. Катя ее даже не заметила. Приятный молодой человек окликнул ее. Она остановилась.

— Я вас не знаю. Тут не панель, а респектабельный район.

— Боже упаси. Извините, если вы меня неправильно поняли. Меня прислал Андрей Ефимыч. Он хочет вас видеть.

— Понятно. Конспирация. Теперь он женат. Зачем я ему?

— Как он высказался: «Старая любовь не ржавеет», а брак по расчету недолговечен. Все ради нужных связей. Но кто же может сравниться с вами? Не зря же он называет вас Эсмеральдой.

— Да. Что-то есть похожее на Джину Лоллобриджиду в этой роли. Но на цыганку я не похожа.

Гордой походкой Катя прошла к машине и села на заднее сиденье.

Ее отвезли на неизвестную квартиру. Тут было уютно. На столе стояло уже открытое шампанское и бокалы.

— Угощайтесь. Мы ждем звонка. Андрей должен отвязаться от своих телохранителей. Подозревает их в двурушничестве. Они ходят к его жене с докладами. Профессионалам трудно найти быструю замену.

— Я видела их лишь через окно машины. Упертые мальчики.

Катя подошла к столику и налила себе шампанского. Усевшись в кресле, она закинула ногу за ногу и начала пить маленькими глотками.

Молодой человек принес из соседней комнаты большую коробку.

— Это то, в чем он хочет вас видеть. Подарок.

Он положил коробку на стол.

Откинув шикарную копну черных вьющихся волос, элегантная дама подошла к подарку и рассмотрела его. Черное платье из великолепного шелка с огромной изумрудной брошкой на груди. Такой же шарф.

— Красивая вещь.

— Можете переодеться в соседней комнате. Там есть зеркало.

— Чудный подарок.

Катя взяла платье и перешла в соседнюю комнату. Она скинула повседневное ярко-красное платье, которое ей шло, и надела черное. В нем она себе нравилась еще больше. Сама изящность. Брошь выглядела потрясающе. Она ее сняла и осмотрела обратную сторону. Проба золота амстердамская. Штучка не из дешевых. У женщины приподнялось настроение.

Она долго крутилась перед зеркалом, любуясь собой, а потом упала, потеряв сознание.

Молодой человек заглянул в комнату, поднял Катю с пола и переложил на кровать. Потом он надел перчатки, забрал шампанское и оба бокала. Положил их в кейс и ушел.

* * *

Они собрались ехать в город, но в это время пришел Вадим Коломиец с братом.

— Так, ребята. Вы рановато, — затягивая галстук, сказал Злотвер. — Мы собрались ехать в Москву за подарком. Снежана меня огорошила. Я даже не знал, что у нее день рождения.

— А вот мы помнили, — засмеялся Вадим. — И вся компания знает. Извини, Андрюша, но мы решили не ждать персонального приглашения.

— Ничего, праздник есть праздник. Вызову обслугу, и они нам сметают чего-нибудь на стол. Ждите. Мы постараемся не задерживаться.

— Спускайся в гараж, дорогой, я скоро подойду.

Андрей спустился в гараж, где стояло три машины. Злотвер выбрал скоростной «Порше». Жена любила эту машину и часто ею пользовалась.

Тем временем Рита скинула с себя вещи и бросила их на кровать. Она надела парик из длинных черных вьющихся волос и шикарное черное шелковое платье с яркой брошью, вставила черные линзы в глаза.

Дверь туалетной комнаты открылась, и в спальню вошла Снежана. Девушки не разговаривали. Тут могут стоять микрофоны. Снежана взяла ее платье, брошенное на кровать, и начала переодеваться.

Когда Рита открыла дверцу, Андрей вздрогнул.

— Что? Похожа? — она сняла на секунду темные очки и вновь их надела. — За руль сяду я. Двигайся.

Он передвинулся на пассажирское сиденье. Рита села за руль.

— К чему этот маскарад? — покраснел Андрей.

— Так. Хочу повозить тебя по местам боевой славы и хочу, чтобы ты сравнил меня с той куклой, в которую я переоделась.

— Я даже не думаю о ней.

— Зато я думаю. Открывай ворота.

— Тебя же увидит охрана в таком виде.

— И хорошо. А потом посмотрим, доложат они мне о твоих выкрутасах или нет.

Настроение у молодожена было испорчено. Рита набросила шарф, и видимыми остались только очки и черная копна волос. Охранник, открывавший ворота, немного опешил, а потом побежал к машине.

Не тут-то было. «Порше» исчез. Молодая жена хозяина ездила очень аккуратно, а эта прирожденная гонщица. Догонять не имело смысла.

Как только машина выехала за ворота, Снежана вернулась в комнату к гостям. Заговорила тихо и хрипло:

— Извините, ангина. Подарок на праздник.

— Так ты не поехала с мужем за подарком? — удивился Вадим.

Он был уверен, что она на сегодня наметила убийство Андрея. Глупо подключать к делу киллеров. Подозрение падет на партнеров, а учитывая завещание, на него в первую очередь.

— Андрюша решил оставить меня встречать гостей. Я так думаю, он готовит для меня сюрприз и просто не хочет, чтобы я увидела его раньше положенного.

— Правильно. Кстати. Познакомься с моим братом. Олег. Прокурор по надзору. Не хухры-мухры.

Снежана подала ему руку, и он ее поцеловал.

— Живых прокуроров еще не видела. Хорошо, когда они у тебя в гостях, а не ты у них в кабинете.

Шутка удалась. Следом раздался звонок в дверь.

— Кажется, друзья начинают съезжаться, а прислуги до сих пор нет. Будем сами накрывать стол.

Снежана цвела, как осенний цветок.

* * *

Скоростной «Порше» затормозил у небольшого трехэтажного отеля «Уют», расположенного в особняке девятнадцатого века. Цены здесь были заоблачными, а потому большая часть номеров пустовала.

— Кажется, здесь ваше гнездышко с Эсмеральдой.

— Зачем ты меня привезла сюда?

— Каприз. Посидим в ресторане, а потом ты закажешь номер. Впрочем, не нужно. Я его уже заказала на твое имя. Он ждет голубков. Только теперь твоей Эсмеральдой буду я. Предоставляю тебе последнюю возможность попрощаться с прошлым. Навсегда.

Идея безумная и ничем не оправданная. Но лучше не спорить с женой. У нее свои тараканы в голове. Пусть тешится.

— Ладно, на все твои заморочки мы тратим час. Нас гости ждут.

Они зашли в отель. Небольшой, богато обставленный холл. Рита осталась в стороне, подойдя к лестнице, а Андрей направился к портье. Она не снимала очки, но они по случайности упали с лица, и присутствующие обратили на нее внимание. Черное платье, богатая брошь, огненный взгляд, шикарные волосы. Такое не сразу забудешь.

Идти в ресторан жена раздумала. Зачем время терять, когда дома стол накрывают. Андрей смиренно выполнял капризы супруги. Он даже выпил шампанского, стоящего на столе. И не обратил внимания, что бутылка открыта. Он разделся и лег в кровать, а потом сознание померкло.

Портье видел, как брюнетка уходила одна спустя час. У отеля всегда дежурили три машины, обслуживающие только постояльцев. Услуга входила в стоимость номера. Вышедшая из отеля дама, очевидно, этого не знала. Она не села в машину, а сначала спросила шофера:

— Вы довезете меня до Вешняковского переулка?

— Конечно. Я даже обязан это сделать.

Она сочла его слова за комплимент. Так лучше. Платить не надо.

Доехали быстро. Шофер предложил подождать пассажирку, но она отказалась. Он уехал не сразу. В переулке стояли старые жалкие трехэтажные домишки. В один из таких вошла элегантная красавица. Похоже, она занимается благотворительностью. С жиру бесится.

* * *

Праздник был в разгаре, собралось человек десять. Поднимали уже не первый тост за именинницу. А хозяин куда-то запропастился. Раздался очередной телефонный звонок. Снежана беспокоилась о муже и тут же хватала трубку, но Андрей не звонил. Вадим терялся в догадках. Он не знал плана Снежаны, она уходила от прямых ответов. Одно он понимал: срок назначен на сегодня. Но уже девять вечера, а она веселится как ни в чем не бывало.

Девушка слушала по телефону очередное поздравление и почему-то бледнела.

— Я сейчас буду, — сказала она в конце и положила трубку.

Присутствующие с настороженностью наблюдали за ней.

— Звонил какой-то следователь. В двенадцатом номере отеля «Уют» найдет труп Андрея. Я даже не знаю, где это.

— Я знаю, — быстро ответил Вадим. — Так! Спокойствие. Все остаются на своих местах. Я поеду со Снежаной. Ждите нашего возвращения. Выпивки тут хватает.

— Я только переоденусь, — сказала Снежана и ушла в спальню.

Она прошла в ванную комнату, а из нее уже вышла Рита в другом платье. Она прождала сестру больше часа и успела сделать такую же прическу. Парик примял ей волосы, да и макияж пришлось сменить. У Кати была смуглая кожа, пришлось накладывать тон, а у сестер кожа белая, бархатистая и очень нежная. Теперь Рите придется возвращаться в тот же отель, но уже в другом качестве.

Вход в отель был оцеплен полицией. Жену покойного и ее партнера проводили в номер. Здесь работали трое. Следователь и двое экспертов ползали по полу с лупами. Что они искали — непонятно. На полу лежал плотный ковер.

— Здравствуйте, Снежана Аркадьевна! — воскликнул следователь, будто собирался вручить подарок имениннице. — Извините, что огорчил вас в праздничный вечер. Но видите, как наша жизнь непредсказуема.

— Где Андрей?

— В соседней комнате.

— Вадим Коломиец, коллега пострадавшего.

— Чудненько. Как я понял, у всех гостей железное алиби, — следователь вел себя весело и улыбался. — Неудачный день ваш муж выбрал для смерти.

— Хватит паясничать, — резко оборвала Рита. — Здесь не цирк. И Андрей не выбирал для себя день смерти. Его определил убийца. Представьтесь, наконец.

— Следователь московской прокуратуры. Пилюгин Лев Савельевич, — произнес он строгим серьезным тоном и открыл дверь в соседнюю комнату.

Андрей лежал на кровати с открытыми глазами и дыркой во лбу.

Жена прикрыла рот рукой, очевидно, чтобы не вскрикнуть. Она подошла к кровати, нагнулась и прикрыла глаза покойнику.

— Это ваш муж? — спросил Пилюгин.

— Да. Это Андрей Ефимович Злотвер.

— Вам надо подписать акт опознания, чтобы не повторять процедуру в морге.

— Как это могло произойти? — спросила жена, не слушая следователя.

— Выстрела никто не слышал. Сосед по номеру находился на месте. Стреляли из пистолета с глушителем. Теперь я вас хочу спросить. Почему муж уехал из дома в ваш день рождения? Вы поссорились?

— Мы не ссоримся. Нет повода. Дело в том,

что все забыли о моем дне рождения. Я ждала до последнего, но никто так и не вспомнил. Мое терпение лопнуло, и я объявила об этом сегодня утром. Андрей долго извинялся, потом позвонил друзьям и где-то часг в три поехал в город за подарком. Мы живем в загородном доме на берегу Клязьмы. Московской квартирой пользуемся редко. Около четырех гости уже собрались. Ждали хозяина. Его мобильный не отвечал. В пять сели за стол. Никто не собирался засиживаться. Завтра рабочий день. В шесть я начала нервничать. Потом позвонили вы. Это все, что нам известно.

— Раньше ваш муж никогда в этом отеле не бывал. Номер заказала женщина еще вчера по телефону, представившись секретаршей. Сегодня в четыре часа Злотвер приехал сюда с женщиной, которая стояла в сторонке, пока он брал ключ. Яркая особа. Запомнили лишь ее платье, черные очки и шикарные черные волосы. Еще брошь. Очевидно, ценная вещь. Их видела горничная, шедшая по коридору третьего этажа. Брошь она тоже запомнила. Очень смахивает на отвлекающий элемент. Да, и еще. У нее упали очки. Администратор запомнил ее глаза. Темнокарие. Но я не думаю, чтобы убийца хотел выставить себя и остаться в памяти. Тут явная подстава. Женщина ушла через час без Злотвера. На обслуживание клиентов отеля есть три машины. Очевидно, дама об этом не знала и попросила одного из шоферов отвезти ее. Приняла его за

обычного бомбилу. Он отвез и запомнил адрес.
Сейчас туда поехали мои люди с этим шофером.
Женщину мы найдем. Но я не уверен, что она
убийца. Скорее сообщница. В комнате стояло
шампанское, но пили только из одного бокала.
Скорее всего, дама усыпила клиента, а убивал
кто-то другой. На первом этаже есть туалет, под-
собка, кухня, раздевалка. Везде есть окна, и они
без решеток. Сюда легко проникнуть, минуя холл
и портье. Что касается сообщницы, то она может
быть и блондинкой. Ее внешний вид явно сделан
искусственно.

— Вы позволите? — спросил Вадим.

— Конечно. Слушаю вас.

— Я знал о сегодняшнем свидании Андрея
с похожей брюнеткой. Она такая, какой вы ее
описали. Парики тут ни при чем. Зовут ее Кате-
рина Левашова. Вчера она звонила Андрею. Разговор я слышал. Мы сидели в офисе и подбивали
смету. Он очень резко с ней разговаривал, потом
бросил трубку. До знакомства со Снежаной Андрей встречался с этой яркой дамой. Она очень
эффектна. Такая, какой вы ее и описали. Она
перезвонила еще раз. Он долго ее слушал, потом
сказал: «Ладно. Обсудим наши проблемы завтра.
Я заеду в районе четырех. Все. Мне некогда».
Положив трубку, он зло выругался, потом добавил: «Эта психопатка собирается рожать!» Я промолчал. Раньше мы все считали, что Андрей на
ней женится. Но он что-то узнал о ее прошлом.
Нам не говорил. А потом встретил Снежану.

Вчера никто из нас еще не знал о дне рождения Снежаны. Я думаю, поездка за подарком в Москву была поводом уехать из дома. Мне кажется, Катя угрожала Андрею. Она же могла наговорить гадостей Снежане. И уж если они решили разобраться в своих отношениях, то скорее Андрей грохнул бы Катю, а не наоборот. Он был человеком резким и очень вспыльчивым.

— А это идея, — поднял брови Пилюгин. — Потому она и не маскировалась. Просто опередила его. Подсыпала клофелинчика и шлепнула парня из его же пистолета. Оружие не валяется на улице. Женщине трудно достать пистолет.

Мысль следователя оборвал звонок мобильного телефона. Он взял трубку и, слушая, мрачнел. Потом убрал аппарат в карман.

— Мы нашли Катерину Левашову. Вы можете ее опознать, Коломиец?

— Опознать? Вы имеете в виду провести очную ставку? Я готов повторить все свои слова ей в глаза.

— Квартиру открыла нам женщина, у которой Левашова снимала квартиру. Видимо, для свиданий. Там ее нашли мертвой. Она пустила себе пулю в рот. Вот почему не оставила оружия здесь. И ей было наплевать, запомнят ее или нет. То же платье, и брошь на месте. Шофер ее тоже опознал. Он и указал на дом, куда она поехала из отеля. Но если все это хитроумный спектакль, то я не берусь тягаться с режиссером. Оставим очевидную версию как основную. Следствие можно

считать законченным, не начиная его. Но, по
сути, я не верю в благородство Катерины Лева-
шовой. Она избавила мир от любовника и себя.
Сделав свою главную соперницу миллионершей,
а партнеров — наследниками империи. Женщины так не мстят.

— Речь не идет о мести, если говорить о Снежане. Речь идет о большой любви. Вряд ли вы
что-то понимаете в этом.

Они сидели на диване в одной из дач старика Матвея и молча попивали бургундское вино.
Элегантные джентльмены внимательно слушали
хозяина дома и своего наставника. Несмотря на
природный талант Романа и Глеба в разных об-
ластях, они были совсем непохожими партнерами. И Матвей Николаевич понимал это. В его
дальновидности никто не сомневался. Старик
уважал обоих, но был с ними строг. Сейчас он
выглядел таковым. Расхаживал по комнате ко-
шачьей походкой и рассуждал:

— Один из вас невероятно везуч. Глеб всегда выходил сухим из воды. Что ни задумает, все
воплощает в жизнь без особого напряга. Но ты,
Рома, сделан из другого теста. Шесть лет тюрьмы ни за что! Феноменальный идиотизм. Умоляю тебя, ничего не делай без моих инструкций.
Обязательно вляпаешься в дерьмо.

— О чем вы? — пожал плечами Роман.

— О проблемах, которые ты себе создаешь.
Ты уже получил заветный чистый паспорт на чу-

жое имя. Но тебе показалось этого мало. Решил себя похоронить. И похоронишь. От меня ты скрыл тот случай, когда одного бедолагу сбила машина. Ночью, в безлюдном месте, на тротуаре. Но тебя это не смутило. И подсунув ему свой паспорт, ты сделал редчайшую глупость. Менты тебя обхитрили. Они дали в сводке происшествий твои данные. Мол, погиб Роман Заболоцкий. Осталось тебя вычислить, а потом ждать нового покушения. Дело в том, что сбили одного из авторитетов Солнцевской группировки Афоню Березанцева. У него пять ходок за спиной. Опознали тут же по отпечаткам пальцев. Твой паспорт сыщиков не устроил. Слишком много наколок на теле. А по ним можно книги писать. Подстава налицо. Но бандиты поняли, что убили не того, и продолжили охоту на Березанцева. А его паспорт у тебя. След найдут. И теперь убьют того, кого надо. Киллеру не обязательно знать жертву в лицо. Проследят по документам. И менты это понимают. Они тебя уже ищут.

— Не найдут. В Москве нет квартир на мое имя. Я давно уже стал Никитой Корзуном.

— Возможно, это тебе поможет на первых порах. Но мир слишком тесен. А теперь перейдем к делу. Нам нужна Маргарита Пекарская. Не уверен, что она сохранила фамилию. Ее дочь и бабка больше не живут по старому адресу. По сути дела, мы ее потеряли. У вас обоих есть счет к этой женщине. Она заслужила серьезного наказания. Тут никто не спорит. Обязан вам помочь. Вы мне нужны свободными людьми, и если у каждого есть камень за пазухой, его надо выкинуть и освободиться от ненужного груза.

— Искать женщину в Москве так же трудно, как иголку в стоге сена, — ухмыльнулся Глеб.

— Никто ее не будет искать. Мы знаем адрес ее мужа. Он тоже имеет на нее зуб. К тому же он профессиональный сыщик. Вот пусть он ее и ищет. Но он не знает о том, что его друг Юрий Ратехин, которому он все еще доверяет, работает на Риту. Он ее предупреждает о каждом шаге Семена Пекарского. Подполковника Ратехина надо нейтрализовать. Он должен исчезнуть. Надо развязать руки Семену, а потом лишь наблюдать за ним. Он нас выведет на объект.

— Я лично займусь подполковником, — заявил Роман. — Этот мелкий пакостник выступал в суде в качестве свидетеля. Меня с Марго застал ее муж. Свидетель свалился с неба только на суде.

— Эмоции, друг мой, эмоции, — холодно сказал Матвей. — К Ратехину не так просто подобраться.

— Почему? Давайте прикинем. Он постоянно встречается со своим другом Семеном Пекарским и вряд ли афиширует эти встречи. Действующий мент дружит с зэком. Странная ситуация. Я думаю, он не хочет огласки. У него есть семья?

— Нет, — ответил Матвей. — Ждет Риту, которая играет с ним, как кошка с мышкой. А она в свою очередь заказала ему своего бывшего мужа.

Но у Ратехина кишка тонка. Семен умнее, хитрее и опытнее. Зона его тоже кое-чему научила.

— Тогда надо начать с Ратехина, — заявил Глеб. — Все подозрения падут на него.

— Слишком рискованно, — покачал головой Матвей. — Потеряв защитника, Марго насторожится. Сейчас она время от времени выходит на охоту. Не от нужды, а от любви к профессии. Мой ресторанный приятель рассказывал о недавнем случае рокового знакомства с Ритой. Но я запомнил главное. У нее есть белая «Ауди-8» и шофер. Охранник или сообщник, понять трудно. Но не сутенер. Международные шлюхи не платят отребью. У них сильные покровители. Похоже, у нас есть приметы ее шофера.

— Как же ты его вычислил, дед? — удивился Глеб.

— Я же работаю, а не гадаю на ромашке, — Матвей все еще прохаживался по комнате. — Мой старый приятель содержит частное сыскное агентство. Бывший полковник милиции. Когда-то он безуспешно пытался поймать меня за руку с поличным. Ничего у него не получилось. Потом ушел в отставку и открыл свое агентство. Успешно работает и очень меня уважает. Иногда мы с ним выпиваем, и он получает от меня полезные консультации. С его помощью я кое-что узнал. Ему удалось выкупить видеозаписи с камер наблюдения из двух баров. К счастью, они сохранились. В одном баре Марго подцепила романтичного Глеба. Он, как и ты, Рома, потерял от женщины голову. В другом баре, в тридцати километрах от первого, Марго облапошила моего ресторанного приятеля. Мы вместе просмотрели эти записи. Процесс знакомств идентичен. Марго никогда не липнет к мужчинам. Голодающие самцы на нее сами бросаются. Многих она отшивает. Похоже, она видит кошелек каждого насквозь. Работает виртуозно. Тут надо отдать должное моему сыщику. У него богатейший опыт. Он предложил просмотреть записи до появления Риты в барах. По его мнению, женщина, опустошающая карманы клиентов и работающая в деле не один год, очень рискует попасть на глаза старому дружку, которого обчистила. Она его не помнит, но он, как и другие мужчины, ее не забыл. Чего только стоит ее появление в баре! Зал замирает. И все ее тут же хотят. Очень рискованное мероприятие для такой куколки. Похоже, когда она вырубает клиента, то забирает не только деньги, но и фотографирует документы раззявы. Его фотографии можно незаметно сделать телефоном еще в баре. Тот самый шофер, который возит ее по точкам на белой «Ауди», проверяет объект на безопасность прежде, чем Марго в него войдет. Мой приятель появился в двух разных точках. Надо сказать, что мы по десятку раз просматривали каждую пленку. Тот тип уходил из бара за десять минут до появления Марго. Этого времени хватит, чтобы вернуться к машине, где его ждет пташка, и предупредить. Либо путь свободен, либо надо смываться. Мало того, сыщик узнал курьера Марго. Кирилл Майский. Частный детектив без клиентов. Не имея рекламы и слухов, в этом бизнесе делать нечего. Человек нуждается в деньгах. А Рите нужен шофер и соглядатай. Вряд ли она платит ему хорошие деньги. Но на безрыбье и рак рыба. У меня есть его фотографии, сосканированные с пленки. Качество плохое, но это лучше, чем ничего. Так что мы знаем еще об одном ангеле-хранителе нашей милой пташки.

— Ты считаешь его опасным, дед? — спросил Глеб.

— Я ничего не считаю. Но у меня есть правило. Никогда не ставь себя выше противника. И это еще не все. Загадки только начинаются. Моему сыщику несказанно повезло. Он пять дней контролировал двенадцать популярных ресторанов в Москве. Идея простая. Надо засечь Марго и проследить за ней с целью вычисления ее гнезда. И вот Маргарита одновременно появилась в двух барах. Конечно, наблюдатели об этом не догадывались. Каждый считал, будто ему повезло. За успех в деле полагалась премия. Ресторан «Савой» мало походит на пристанище проституток, однако гостиница «Космос» прекрасная точка. — Матвей остановился у письменного стола и достал из ящика пачку фотографий.

— Гляньте. Что скажете, молочные братья? Вы же оба спали с этой женщиной.

Они подошли к столу.

На снимках была изображена рыжеволосая красавица. С трех ракурсов, за столиком с мужчиной.

— Тут нет сомнений. Это Марго, — уверенно заявил Глеб. — Макияж и парик можно не учитывать. Красоту трудно спрятать.

— Я с ним согласен, — кивнул Роман.

— Итак! Девушка не поднималась в бар. Наблюдатель заметил ее в холле отеля. Там же и сделал снимки. Он устал бегать по барам и решил осмотреть стоянку автомобилей, ориентируясь на белую «Ауди». Через пять минут к ней спустился молодой интересный мужчина лет тридцати пяти. Они вышли на улицу, сели в его машину. Он сидел за рулем, и они поехали в ресторан «Савой». Там провели два часа за ужином. Очень мило болтали. Потом он отвез ее на Таганку. Машину проследили, адрес установили, кроме номера квартиры. Клиент проводил Марго до подъезда и уехал. Наблюдатель ждал два часа. Но Марго не вышла. Подъезд не проходной.

Учитывая опыт Марго переходить из подъезда в подъезд по крыше, он наблюдал за всеми. Нет, не вышла. Что касается ее клиента, то он иностранец, живет в «Космосе». Англичанин. Гари Стайгер. Предприниматель. Люди моего приятеля проверили его номер. На тумбочке у кровати стоит фотография Марго в рамочке на фоне Эйфелевой башни. Судя по штампам в паспорте, он только за этот год шесть раз посещал Россию. Телефона его не нашли. Но сейчас пытаются вычислить Марго по номеру квартиры. Их немало, но уже не иголка в сене. Работаем. А вот вам еще один сюрприз. — Матвей выложил на стол еще пять фотографий. — А как вам нравится эта девушка?

— Но это она же! — воскликнул Глеб. — Парик другой. Здесь она пепельная блондинка.

— Бог с ним, с париком, — ухмыльнулся Матвей. — В то время, когда Рита обедала в «Савое», ее копия пила шампанское в Крылатском с другим клиентом. Невзрачный тип, но одет небедно. Ее ребята из конторы моего приятеля упустили. Из бара они сели в неизвестную машину и уехали. За рулем сидела девушка. Рита сорвала железного коня с места, будто стартовала на «Формуле один». Темпераментная женщина. Следаки двигатель включить не успели, а ее и след простыл. Хочу заметить. В обоих случаях сыщика Майского никто не видел. Его фото имели все. Так кто из них Марго? Вот, ребятки, такой ребус девушка нам подсунула. Хоть стой, хоть падай.

— Надо заняться англичанином, — предложил Роман. — Я думаю, они познакомились в Париже. Удивляет то, что Марго полуграмотная баба. Как она обходилась без знания языков? Французы предпочитают собственных шлюх.

— А может, она не занималась проституцией, а вышла замуж за француза. Значит, имеет вид на жительство, свободный въезд и тихое гнездышко на случай опасности.

— К сожалению, во французской жандармерии у меня нет связей, — пожал плечами Матвей.

— А зачем они нужны? — переспросил Роман. — Корни-то из Москвы растут.

Отвлеченный от разговора Глеб вдруг заявил:

— Они же близнецы! Другого варианта и быть не может. И это все меняет. С таким изворотливым умом, как у Марго, она должна сохранять существование сестры в глубочайшей тайне. У этой женщины нет ничего святого. Она может использовать людей лишь в своих целях. Бог обделил ее чувством любви, радости и счастья. Сухая бездушная коряга, торчащая из земли, об которую все спотыкаются. Мы же ничего о ней не знаем. Но она родилась на свет не в двадцать пять лет, уже готовым продуктом. У нее было детство, юность, какое-никакое воспитание.

— Корягу надо выжигать, — грубо сказал Роман. — Ломом выкорчевывать...

— Злость плохой советчик, — задумчиво протянул Матвей. — Идея с сестрами — лучшее объяснение происходящему. И вот еще один любопытный факт. Мой сыщик побывал в больнице, куда попала Рита после покушения на ее жизнь. Как мы знаем, ее выкрали. Сама она не могла уйти. Девушка находилась в коме. Прошло полтора года с того времени. За определенную мзду я добился некоторых откровений. Одна из санитарок созналась, будто девушка умерла от полученных ранений, но, чтобы не вешать на больницу лишний труп, оформили ее выписку под наблюдение родственников. Один из врачей травматологического отделения, который уже не работает в этой больнице, сказал, что ее убили. Те, кто ее не добил. Труп сожгли вместе с ее медкартой, так как родственников убитой не нашлось и ее никто не навещал в течение месяца. Тоже ложь. На самом деле труп не опознали. О том, кто попал в больницу, знала только мать Романа, она делала фотографии на месте происшествия. Но не назвала следствию имени жертвы. Убийцы не могли знать о том, что Рита осталась живой. Соответственно не искали ее, чтобы добить. Тем более через месяц. И умереть она не могла спустя месяц, когда травма уже не представляла опасности, если только у нее не возникла злокачественная опухоль мозга. К тому же подполковник милиции Ирина Заболоцкая постоянно интересовалась здоровьем потерпевшей. А значит, врачи не смогли бы сжечь труп, пока идет следствие. Именно мать Романа первой узнала о похищении. Девушка исчезла ночью. Никто ничего не видел. Дежурная сестра на этаже заснула на своем посту. Сама Рита уйти не могла.

— Похитить ее могли убийцы. Кто-то наблюдал за происходящим после покушения. Ее увезла «Скорая помощь», а не труповозка, — предположил Роман.

— Не соглашусь с тобой, — отрезал Матвей. — Зачем они ждали целый месяц? Может быть, правильней похитить жертву, добить ее в лесу и закопать. В этом случае не стали бы открывать уголовное дело об убийстве. Нет. Ее похитила сестра. Она получила все, что могла получить от врачей. Большего никто уже сделать не мог. Ей лишь капельницы меняли. И сестра ее выходила, как мы теперь знаем.

— Какую из сестер пытались убить? — задал вопрос Глеб. — О второй мы ничего не знаем. Мне нужен номер квартиры в доме на Таганке. Марго я узнаю. Видел ее во всей красе. У нее есть татуировка на правом плече.

— Сестре она могла сделать такую же, — парировал Матвей. — И что тебе даст номер квартиры? Хочешь зайти к ней в спальню и понаблюдать, как она переодевается?

— Именно так я и сделаю.

Роман вытаращил глаза на партнера, Матвей не удивился. Он глянул на Романа и сказал:

— Хорошо. А ты, дружок, займись ее бывшим мужем. У тебя на него зуб. Вот тебе и карты в руки.

— Ладно. Но мне нужен адрес дачи ее закадычного друга Юрия Ратехина.

— Кто же ездит на дачу в такой холод? Уже первый снег выпал.

— У него теплая дача. Такие люди живут на широкую ногу. К тому же он все еще хочет пустить пыль в глаза Маргарите.

2

Номер квартиры установили быстро. Четверо детективов из агентства Станислава Беркина, приятеля Матвея, обошли все квартиры с проверкой системы отопления. Работали артистично. В одной из комнат увидели фотографию Риты в рамочке. Батареи проверялись в каждой комнате. В такой квартире и заблудиться нетрудно. Пять больших комнат, прихожая, два коридора, туалет, ванная, кухня. На велосипеде кататься можно. Хозяйка прикована к креслу, но домработница слишком активная и занудливая баба. Смотрела на мастера с подозрением. И не удивительно. Вот если бы он представился руководителем — другое дело. Слишком хорош и интеллигентен для водопроводчика, да еще и сапоги снял у порога. Для начала Глеб вновь обошел все комнаты. Вывод простой. Служанка приходящая. Ни в одной из комнат не было женских вещей большого размера. А баба выглядела дородной, руками не обхватишь, эдакий баобаб. Комнату девушки он тоже вычислил. Одно его удивляло. Плакаты голливудских мужчин с оголенными торсами на стенах. Рита обожралась этим товаром. Ей ли вешать мужиков перед глазами. К тому же она всем подрисовывала усики фломастером а-ля Кларк Гейбл.

— Вы не беспокойтесь, мамаша, сделаю дело и тихо уйду.

— Какая я тебе мамаша? — возмутилась служанка. — Вас только пусти в огород.

— Нет, дорогая. Работа у нас высокооплачиваемая. Терять ее никто не хочет. Мы на барахлишко не падкие.

— Работай, а не болтай. Я тебя здесь ждать не буду. У меня своих дел хватает.

И Глеб работал. Даже вентиль сменил. У служанки что-то варилось на кухне. Судя по запаху — борщ. Он выбрал подходящий момент, взял свои сапоги у порога и, войдя в спальню Риты, спрятался за шторами. Служанка его не нашла, но бранилась громко, и все претензии выливались на хозяйку, прикованную к креслу. Разговаривала с ней грубо, будто она в доме главная. В шесть вечера входная дверь хлопнула и наступила тишина. У Глеба затекли ноги. Он больше полутора часов стоял неподвижно за шторами. Теперь рискнул высунуть свой нос. На улице давно стемнело, в комнатах соответственно. Дверь открыта, но в коридоре тоже свет не горел. Можно обо что-то споткнуться. Но у него была фотографическая память. Умение передвигаться в темноте, не спотыкаясь и беззвучно, стало частью его профессии. Он осторожно вышел в коридор. Переместился к комнате хозяйки, где горел свет. Женщина сидела в своей коляске и вязала. У таких людей очень обострен слух. Горничная ушла. Но это не значит, что она может вернуться. Глеб прошел в комнату девушки, закрыл за собой дверь и включил люстру. Не очень хорошая идея. Двери здесь добротные, и он мог не услышать, как кто-то придет. Рита должна вернуться в семь. Именно в это время ее приход фиксировался в течение недели. Через час или полтора она вновь уходила. Далее терялась в толпе метро. Никому не удалось проследить ее до конца. Вероятно, ее обучали приемам ухода от слежки.

Начинать надо с элементарного. С семейного фотоальбома. Он нашел его быстро, пролистал, хорошо запомнил все снимки, три фотографии убрал в карман. Потом осмотрел книжные полки. Служанки слишком ленивы, чтобы смахивать с них пыль. У них на кухне дел хватает. Однако все книги выглядели чистыми. Глеб пошел другим путем. Нужно выбирать книги, которые никому не нужны. Многие издания были на английском, французском и арабском языках. Здесь жила не Рита. Он это понял из фотоальбома. Хозяйкой комнаты была полная противоположность той женщины, которую он знал. Древняя философия, языкознание, редкое издание Фрейда в восьми томах. А вот история КПСС тут ни к чему. Он достал книгу, и из нее высыпались деньги и одна фотография. На ней был изображен кошмарный выродок. Стопроцентный рецидивист. На обратной стороне надпись: «Любимой кукле Снежане от Тихони». Снимочек пришлось забрать, а деньги положить на место. И еще одна книжка привлекла его внимание. «Диктатура пролетариата». Под обложкой скрывался дневник Снежаны Дергачевой. В нем он мог найти ответы на все вопросы. Но такую вещь брать нельзя. Не пришло время. Страницы исписаны мелким красивым почерком, похожим скорее на прописи девицы Смольного института благородных девиц дореволюционного Санкт-Петербурга, а не современной девушки. Он поставил книгу на место. Придет время, он и до нее доберется. В памяти мелькнули ключи, висящие на гвоздике перед входной дверью. Он вспомнил замки квартиры. Нижний не имел вертушки с внутренней стороны. Он тихо вышел в коридор и пробрался к входной двери. Ключи на гвоздике еще висели. У служанки есть свои ключи. Он глянул на замок. Скважина. Хозяйку запирают. Эти ключи висят для нее, чтобы она могла открыть нижний замок. А как бы он вышел, не будь здесь ключей? Глеб осторожно снял их и положил в карман. Придется сделать дубликат, а оригинал повесить на место.

...На секунду Глеб замер. В скважину вставили ключ с наружной стороны. Он тут же вернулся в комнату, погасил свет и спрятался за штору. Входная дверь открылась, как только он закрылся в спальне. Мог и не успеть. Из коридора послышался слабый женский голос. Слов он не разобрал, но говорила молодая женщина, а не служанка. Глеб ждал. И, наконец, девушка вошла в комнату и включила свет. Он осторожно отодвинул плотную ткань шторы и увидел ее. Никаких сомнений. Перед зеркалом стояла Рита. Она начала быстро раздеваться. Сброшенные вещи кидала в шкаф и доставала другие. Стоя голой перед зеркалом трюмо, она расчесала длинные светлые волосы, густые и пышные, а потом стянула их на затылке и заколола. Он не заметил, откуда в ее руках появился черный парик, все внимание было приковано к плечу. Татуировка на месте. Она надела парик и начала накладывать макияж. Лицо становилось ярче, но вульгарней. Слишком резкий контраст. Черные волосы, голубые глаза, ярко-красные губы. Из обаятельной нежной красавицы Рита превращалась в шлюху. И делала она это умышленно. Потом в ход пошла униформа. Утянутый корсет, черные чулки, и... стоп! Когда она начала натягивать чулок на правую ногу, он увидел кошмарный глубокий шрам от бедра и почти до колена. Он не мог быть свежим. У Глеба пробежали мурашки по коже. Он встретил Марго три месяца назад. У нее не было шрамов. Получить травму позже она не могла. Такой шрам не заживет так быстро. Значит, перед ним Снежана.

Девушка надела черное платье с большим вырезом и шпильки. Поправив прическу, она взяла сумочку, погасила свет и вышла из комнаты.

Он опять услышал ее голос. Взяв свои сапоги, он подошел к двери и приоткрыл ее. Теперь он мог разбирать слова.

— Сегодня ты опять не придешь ночевать? — спросил старческий голос.

— Будет поздно, и, скорее всего, останусь ночевать в общежитии. Там полно свободных комнат. К тому же мы выпьем, помянем душу усопшего профессора. Вот, выпей свои таблетки при мне. Иначе опять забудешь.

— Рано еще.

— Пей. Для тебя нет понятия рано или поздно. Курс лечения надо продолжать, а с твоим склерозом все полетит к черту.

— Хорошо, хорошо, только не кричи на меня.

Затишье. Девушка вышла в коридор, открыла входную дверь и покинула квартиру. Глеб услышал повороты ключа в скважине. Замок защелкнулся на два оборота. Надо выждать минут пять и сматываться. Он нашел все ответы на свои вопросы, а выводы делать еще рано. Из комнаты матери послышался какой-то шум. Будто что-то упало. Он выбрался из убежища и тихо продвинулся по коридору к знакомой уже комнате. Женщина лежала на ковре. Она выпала из кресла. То ли хотела встать, то ли за чем-то потянулась и потеряла равновесие. Пора уносить ноги! Но Глеб не мог тронуться с места, несчастная стонала. Он поставил свои сапоги на коврик и вошел в комнату.

Женщину трясло, словно к ней подключили ток, изо рта шла пена, глаза налились кровью, она пыталась вздохнуть, ловя ртом воздух, но у нее ничего не получалось. Он все же сумел ее поднять и усадить в кресло. Из нее вышел какой-то кошмарный хрип, и она замерла. Глеб уже ничем не мог ей помочь. С минуту он стоял над трупом и не знал, что ему делать, потом прикрыл ей глаза, нашел в кармане халата платок и стер пену с губ. Отравление выглядело очевидным. Безумная дочка попадет под подозрение. Рановато ее топить. Они сами должны во всем разобраться. Сестренки достойны одна другой. Два сапога пара.

Глеб ушел, закрыв за собой дверь на замок. Сыщики Беркина все еще топтались возле дома. Шел снег. Он перекинулся несколькими словами с одним из них.

— Для чего я вам браслет на руку надевал? Вы должны были подать мне сигнал, заметив девушку. И что?

— Как что? Она не появлялась.

— Ты хочешь сказать, что Рита в дом не входила и не выходила из него?

— Нет. Мы бы заметили.

— Я видел ее в квартире своими глазами.

Бывший опер рассмеялся.

— Послушай, мужик, мы свою работу знаем. Не учи нас жить.

— А брюнетка в черной шубе не выходила?

— Нет. Мы знаем весь ее гардероб и видели ее со всеми возможными цветами волос. Нас вокруг пальца не обведешь.

— Обвела!

Глеб пошел прочь.

* * *

На «рафиках» по Москве давно никто не ездил. Но зачем покупать новую машину, а потом с ней возиться, гримируя под нужную, когда Матвей ухитрился купить списанную «Скорую помощь», покрытую пылью. Опытные мастера за неделю привели ее в божеский вид и даже мигалки на крышу установили. И все удовольствие за гроши. Матвей не привык транжирить, старик знал, где можно и нужно тратить деньги, а где скупердяйничать. В затею Романа он не верил, а потому и не тратился на нее.

Машину поставили в соседнем дворе рядом с домом, где арендовал двухкомнатную квартиру Семен Пекарский.

Роман сторожил этого типа два дня, не вылезая из стареньких «Жигулей». Бывший муж Риты из дома не выходил, свет в доме горел. Старый опытный мент покидал свою берлогу в самых необходимых случаях. И сегодня такой представился. Роман был в этом уверен. Днем к нему приезжал его дружок, подполковник Ратехин, а тот по пустякам сомнительных друзей не навещает. Находился в доме не больше десяти минут. Значит, сказал ему такое, чего нельзя говорить по телефону.

Роман не ошибся. Семен вышел из дома в шесть вечера, сел в похожий на Ромин драндулет и тронулся с места. Слежка дело тонкое. Иногда надо понять лишь направление, и станет ясно, куда твой подопечный едет. На сей раз не так. Роман ничего не знал и не мог отставать. Во всей этой истории был один плюс. Пекарский не сворачивал в переулки, а ехал по центральным улицам, забитым машинами. Конечным пунктом оказался Ломоносовский проспект. Машину Пекарский загнал во двор. Роман заезжать следом не стал. Он оставил свой драндулет на улице и пошел пешком. Роман осмотрел подъезд, возле которого стояли «Жигули» Пекарского. Шесть этажей по четыре квартиры на каждом. Можно вычислить, но пока в этом нет необходимости.

Шел снег, начинал дуть ветер. К ночи может разыграться метель. Холодно. Погода Романа вполне устраивала.

Все сошлось. А еще говорят, что он невезучий. Через двадцать минут Семен вышел из дома, ведя за руку девочку лет пятнадцати. Ее даже девочкой назвать трудно. В такую влюбиться можно. Выглядела как взрослая. И одета как дама. Дубленка, лисья шапка с двумя хвостами, замшевые сапоги на каблучках и личико с макияжем. Но главное, что делало ее взрослой, был взгляд. Взгляд женщины. Вылитая мать, вот только злости не видно. Она шла послушно, не дергалась и не капризничала.

Они сели в машину Семена.

Теперь не имело смысла за ним ехать. Роман знал, куда он повезет девочку. Вернувшись к своей колымаге, он сделал все, чтобы обогнать их. Делу помогала шипованная резина и хорошие тормоза. Снег усиливался.

Роман заехал во двор, где стоял «рафик», сменил машину, переехал во двор, где жил Семен Пекарский, и остановился возле его подъезда на «Скорой помощи». Бывший мент еще не приехал. Роман поправил парик на голове, приклеил бородку с усами, надел очки, а под пальто белый халат. Застегивать пальто не стал. Вышел из машины и направился в подъезд.

Импровизированный этюд сработал. Фактор неожиданности всегда срабатывает, несмотря на опыт. Они столкнулись в дверях. Врач выходил, а Пекарский с девочкой заходил.

— О, какая удача! — воскликнул Роман. — Вы ведь из шестьдесят четвертой квартиры?

— А вы откуда знаете? — оглядывая врача, спросил Пекарский.

— А только там мне и не открыли дверь. Я из поликлиники. Вирус по району гуляет. Как бы всю Москву не захватил. Брюшной тиф. Прививке подлежит все население.

— Может, обойдется?

— Вы с ума сошли? У вас же ребенок. Хотите, чтобы к вам врач с участковым пришли? Мы третьи сутки не спим, из сил выбиваемся, а вы еще капризничаете.

Пекарский был добит. Аргументов в свою защиту у него не осталось. Он поозирался по сторонам, увидел «Скорую помощь», прищурился. Врач сомнений не вызывал, саквояж с красным крестом. Правда, с такими давно уже не ходили, но кто это знает.

— Это недолго? Мы с дочкой еще не ели...

— О чем вы говорите? Комариный укус.

— Хорошо, пошли.

В квартире царила чистота. На столе стояли торт и вазочки с конфетами. В кресле сидела красивая кукла. Придурок потерял все ориентиры. Он все еще считал дочь ребенком. Встреть ее на стороне, и не узнал бы.

Врач работал быстро. Скинул пальто, вымыл руки, надел перчатки и достал шприцы.

— Можно и в плечо. Укол подкожный, так что можете не стесняться друг друга.

Девушка насторожилась.

— Я без лифчика. Мне будете делать укол в другой комнате.

Первый укол он сделал отцу. Шприц и ампулу бросил в целлофановый пакет.

— А это еще зачем? Можно в мусорку.

— Нет, нельзя. Отчетность. Вакцина на учете, любезный.

— Ладно. Идите к дочери, но дверь не закрывайте.

— Мне без разницы.

Девочка сама закрыла дверь. Она подставила свое плечо, но почему-то сняла майку, оголив тело. Да, это был не ребенок. У Романа комок в горле встал. Он откашлялся и спросил:

— Сколько вам лет, барышня?

— По рождению пятнадцать скоро будет, по развитию двадцать. А в душе все сто.

Она развернула листок бумаги и показала ему записку, которую, очевидно, успела написать, пока находилась в комнате одна.

«Мой отец убил сегодня бабушку, а меня выкрал! Ломоносовский проспект, дом 8, квартира 167».

У Романа выступили капельки пота на лице.

Девочка убрала записку в карман и начала одеваться. Выдержав паузу, он спросил:

— Тебя как зовут?

— Лена. Бабка звала Лялей, мать Лелей.

— Я бы назвал Лолитой.

— Не принимай меня за дуру. Я читала Набокова еще во втором классе. Вот она была дурой.

— Ладно, Леля. Я подумаю, что можно сделать, — сказал он шепотом и вышел из комнаты.

Семен уже сидел в кресле с открытыми глазами, но не мог пошевелиться.

— Хуже всего, майор, что ты будешь все слышать и понимать, но твое тело тебе больше не подчиняется. Пробил твой час. Ты и так задержался на этом свете больше положенного.

Роман закрыл ему глаза примерно в то же время, когда это сделал Глеб, глядя на труп матери Снежаны. Он обшарил карманы девочки и нашел ключи от ее квартиры. Дверь запирать не стал и, не надевая пальто, вышел на улицу.

Разыгралась метель, как он и предполагал. Ждать пришло недолго. Двое парней лет по двадцать согласились помочь врачу за бутылку коньяка.

— Людям надо помогать, ребятки. Берете носилки из машины, и выносим больного с третьего этажа. Не десятый же. Ну? Как китайцы, бегом и с песнями.

Через сорок минут Роман уже находился в районе дачи подполковника Ратехина. Поселок стоял в лесу. Роман замедлил ход. Вскоре в свете фар мелькнула тропинка, уже занесенная метелью. Он остановился. Похоже, эта короткая дорожка ведет к станции. То, что нужно. До поселка оставалось метров двести. Именно там начинался ряд столбов с освещением. Фары он выключать не стал. Кругом непролазная темень. Мститель вышел из машины, открыл заднюю дверцу «рафика», вытащил тело, надел на него пальто и, оттащив от дороги метров на сорок в лес, посадил в снег, прислонил его к дереву.

— Здесь тебя и найдут, Сема. Ты шел к своему другу, но так до него и не добрался. Пить меньше надо.

Он достал из кармана тонкий резиновый шланг, воронку и бутылку водки.

— Выпей за раба усопшего Семена Пекарского. Отъявленная сволочь. Гореть ему в аду.

Как опытный врач, Роман пропихнул шланг через рот в желудок еще живого, но парализованного тела и влил в него всю бутылку водки. Пустую посудину он сунул ему в руку и зажал пальцами.

Убрав все лишние следы, Роман в последний раз глянул на неподвижное тело, плюнул и ушел.

* * *

Он все же вернулся на Ломоносовский проспект. Правду ли ему сказала девочка? Какой смысл Пекарскому убивать няньку? Дураку же понятно, кто мог выкрасть ребенка. Он мог ее связать, заклеить рот, но убивать? Это же вышка. Пекарский добивался совсем других результатов. Ему нужна свобода в первую очередь. Похищение ребенка — не преступление, если он взял свою дочь. Добровольно. Погостить к папе.

Он поднялся на этаж и открыл квартиру ключами Лены. Везде горит свет, тишина. Роман снял ботинки у порога и прошел в комнату.

Женщина лежала на полу у окна. Очевидно, она умерла не сразу, а пыталась подползти к окну и позвать на помощь. Об этом говорил кровавый след, ведущий от кресла. Голова в крови, у ножки стола лежит окровавленный кухонный топорик.

Он подошел к потерпевшей и с удивлением нащупал пульс. Женщина жива. Она застонала, потом открыла глаза. Увидев мужчину в белом халате, тихо прошептала:

— Где эта шельма? Она меня убила.

— Шельма — кто?

— Лялька, я нашла ее тайник, а она...

Несчастная замолкла. Она не выживет, понял Роман. Очень большая потеря крови. Медицинский саквояж был при нем. На случай ненужных свидетелей надо выглядеть подобающим врачу образом. Роман тут же сделал ей укол камфары и перевязал голову. Потом вызвал «Скорую помощь». Ушел он не сразу. В такую погоду «Скорая» не прилетит на крылышках.

В соседней комнате под кроватью он нашел обувную коробку. Лялька вышла из дома без вещей. Свой тайник она оставила дома. Когда позвонили в дверь, она его куда-то сунула. Скорее всего, под кровать. Он не ошибся. В коробке из-под обуви лежали несовместимые вещи. Будто в нее складывали свои мелочи разные люди. Подросток и взрослая женщина. Письма он читать не стал. Их тут хватало. Дорогая косметика, вероятно, сворованная у матери. Золотые украшения, школьная медаль «Лучший ученик школы». Школьный пенал, вышитый бисером. Ручная работа. Только в нем лежали не фломастеры, а сухая травка, очень похожая на марихуану. Множество вырезок из порнографических журналов. В основном мужчин. Упаковка одноразовых шприцов. Записная книжка, нож, а точнее финка. Баллончики с газом, флакон с таблетками, но без этикеток. Роман закрыл коробку и положил ее в свой саквояж. Тут было от чего содрогнуться. Такие тайники лучше не находить. Хозяин такой коробочки оказывается прижатым к стене. А значит, становится зависимым. Топорик, испачканный кровью, Роман тоже прихватил с собой. Увесистая штука. Если бы старуху таким ударил Семен, то жертве не осталось бы шансов выжить. У девочки силенок не хватило.

Он тихо ушел, оставив дверь приоткрытой.

В квартиру Пекарского Роман вернулся за полночь. Девочка тихо спала. Укол будет действовать до утра. На диване спала сама невинность с кукольным личиком. Но он знал, что это не так. Где же она начерпала столько грязи, еще не начав жить? Где и когда произошел надлом?

Он не нашел для себя ответов ни на один вопрос. Надев на девочку дубленку и сапоги, он поднял ее на руки и отнес в машину. Решать все проблемы придется потом. Сейчас голова не работала. Он очень устал.

Поменяв машины, Роман поехал к себе домой. Шел третий час ночи. В глазах уже плавали красные круги. Вот только его квартира не была рассчитана для гостей. Кровать одна, хоть и широкая. Но им места хватит.

Зря он так думал. Проснулся в полдень. Лежал под одеялом голый в обнимку с обнаженной малолеткой. Но он отчетливо помнил, что ложился одетым и девчонку не раздевал. Роман вздрогнул. Его парик и наклейки валялись на одеяле. Не открывая глаз, Ляля сказала:

— Без лишней грязи на лице ты даже красивый.

— И не думай, девочка. У тебя ничего не выйдет.

— Уже вышло. И мне понравилось.

— Придется тебя отправить домой.

— Никуда ты меня не отправишь. Я же расскажу, где провела ночь. И в школу не пойду. Теперь я свободна. — Она открыла глаза. Он попытался встать, но она еще сильнее прижалась к нему. — Лежи тихо. Сначала выслушай меня. Я не знаю, что ты сделал с моим отцом и как я оказалась здесь. Мне на это наплевать. Я была рада папочке только потому, что он обещал мне свободу. Моя бабка была монстром в юбке, а мамаша и того хуже. Я их всегда ненавидела. И я к ним не вернусь. Эта квартира принадлежит Никите Корзуну. В твоем кармане паспорт на его имя. Если ты попытаешься от меня избавиться, то я скажу, что ты меня похитил и насиловал здесь в течение всего времени. И ты убил мою бабку, — она говорила быстро и без запинок, будто выучила текст. — Мне поверят. Я лучшая ученица школы, образцовый ребенок с большим будущим. А ты хоть и врач, но педофил, плюс похититель. Отмотают на полную катушку. Понял? А теперь можешь вякнуть, чего хотел. Я все сказала.

Роман ее не боялся. Но он точно знал, что ангелочек с синими глазками его убьет, если он «вякнет» ей все, что знает о ней. Копия своей мамочки. Такие красотки не имеют сдерживающих инстинктов.

— Хорошо. Ты можешь жить у меня, пока я тебе не надоем. Потом найдешь себе кого помоложе.

— Терпеть не могу сопляков. Да и ты не такой старый. И к тому же красивый.

— Чем бы дитя ни тешилось, лишь бы не плакало.

— Детей здесь нет. Я стала женщиной в двенадцать лет. Мне нравился учитель по физкультуре. Недолго. Недели хватило. Потом меня от него тошнило. Я его уволила.

— Уволила?

— Проще простого. Сказала, что беременна и буду рожать. Его как волной смыло.

— Надеюсь, и я тебе надоем вскоре.

— Не надейся. Я уже знаю в этом деле толк и разбираюсь в своих чувствах. Могла уйти еще утром, когда ты дрых, и привести сюда ментов. Но я знала, что мы с тобой договоримся.

По поводу его везучести Матвей был прав.

3

На его счастье, Ляля не заглядывала в его медицинский саквояж и не видела топорика и свою сокровенную коробку. Он тихо и мирно уехал на работу. Она верила в то, что Роман врач и работает в поликлинике. Для девушки он оставался Никитой. Этим именем он представлялся всем и уже привык к нему. Утром она ему сказала: «Ты носишь парик, усы и очки, чтобы быть пострашнее. Бабы пристают, да?» Она нашла ему оправдание, но его поразил ее склад мышления. В пятнадцать неполных лет девчонка мыслит так однобоко. Или она притворяется? Хочет выглядеть взрослой и зрелой? Встать на ступень выше?

Перед поездкой к Матвею с отчетом он заехал на свою вторую квартиру, оставил там коробку, сменил парик, одежду и заехал в школу, где училась Лена. В записной книжке он нашел запись: «Елена Семеновна Пекарская. 9 класс «Б», школа 226».

Во время перемены вошел в учительскую.

— Приятно всех видеть, уважаемые дамы. Я корреспондент «Комсомолки». Два-три глупых вопроса. Каков уровень интеллекта нынешнего поколения, готового нас сменить?

Лица оставались печальными. Шесть женщин и один мужчина лишь усмехнулись.

— Но ведь вундеркинды должны быть? Я слышал даже о медалях лучшим ученикам.

— Был такой, — с грустью сказала самая говорливая девушка лет тридцати. — Павлик Ковылин. Очень одаренный ребенок. К сожалению, погиб.

— Что с ним случилось?

— Нашли в подъезде на чердачном этаже. Ножевое ранение. Спасти не удалось. Убийцу тоже не нашли. Удивительно, но следов насилия на теле не было. Значит, он сам туда поднялся. Его хоронила вся школа.

— Печальная история. И что же, он один такой был в школе?

— Нет. Его медаль перешла к Леночке Пекарской. Умненькая девочка, но до Павлика ей было далеко.

— А можно повидать вашу медалистку?

Тут в разговор вмешалась другая учительница.

— Лена сегодня в школу не пришла. Вероятно, у нее опять заболела бабушка. Она очень ее любит, а та уже старенькая. Мать актриса, постоянно на гастролях, отец погиб. Гонщиком был. На машине разбился. Можно сказать, девочка сирота. Но очень много пропускает занятий.

Но учеба ей дается легко. Собирается поступать в медицинский. Увлечена анатомией. Но вряд ли вы сумеете с ней поговорить. Она очень необщительная девочка. Ребята к ней тянутся, но она ни с кем не дружит. Держится обособленно.

— Если к ней тянутся, значит, она интересна.

— Внешне безусловно. Красивая девочка, и знает об этом. Но очень гордая.

— Или зазнайка, — добавила другая учительница.

— Имеет право, — отрезала первая.

— Ладно, милые леди. Где здесь ближайшая школа?

Ему объяснили. Роман вышел на улицу сам не свой. Перед глазами маячила финка, найденная в коробке. Кому, как не Ляле, легко завлечь мальчишку на чердак? Но если это лишь предположение, то бабка, воспитавшая ее, с раскроенным черепом вовсе не фантазия, а факт.

* * *

— Так вот, — продолжал Матвей, не здороваясь с вошедшим Романом, а усаживая его на диван. — Квартиры, машина, дача, все записано на имя Снежаны Дергачевой. Ее никто в убийстве матери не заподозрит.

— О ком вы говорите? — спросил Роман.

— О родной сестре Риты Снежане, которая живет на Таганке, — пояснил Матвей. — Вчера она отравила свою мамочку.

— И что удивительно, — продолжил Глеб, — никто не видел, как Снежана входила в дом и выходила из него. Я проверил чердак и подвал. Замки уже поржавели.

— Значит, в доме есть еще одна квартира в ее распоряжении, — очень убедительно заявил Роман.

— А почему нет? — приподнял узкие плечики Матвей. — Она там родилась, выросла, у нее могут быть подруги, друзья.

— Если она никуда не собиралась уходить, то зачем переодевалась? — спросил Глеб. — У меня на глазах превратила себя из милой хорошенькой девушки в дешевую шлюху. Точнее, в дорогую. Потом грохнула мамашу и ушла.

— Значит, не к подруге, — так же холодно продолжил Роман. — А почему квартира не может быть пустой? И переоделась она на свидание, которое назначила в этой квартире. Может, кто-то сдает квартиру в этом подъезде. Кому, как не своим, ее сдать, а не пускать людей с улицы.

Матвей вынул из стола бумажку и пробежал по ней глазами.

— Когда люди Станислава обходили квартиры под видом водопроводчиков, только в трех им не открыли двери. Вот их мы и проверили. Снежаны в то время в доме не было.

— Толковая идея, — согласился Глеб. — Но я не думаю о свидании. Снежана ущербна. У нее кошмарный шрам на ляжке. Она не будет раздеваться перед мужчиной. А квартира предполагает интим. Ни один мужик не усидит на месте перед живым воплощением плоти. Она бесподобна. Но эта самая ущербность и не дала ей воли. Женщина замкнулась в себе. И вот она повстречала свою копию. Думаю, что это произошло не так давно. Вольная, свободная, смелая, дерзкая, наглая, напористая без комплексов сестра. Снежана ей завидует и во всем старается ей подражать. Вот почему она так одевается, так же красится и вертится перед зеркалом. Но в ее движениях нет еще той свободы и распущенности. Нет того сексуального шарма, как в Рите. Ту я тоже видел перед зеркалом. И после утомительной ночи мне вновь хотелось на нее наброситься. А Снежану мне хотелось обнять и пожалеть. Вот в чем их разница. Но скоро она сотрется. Удав всегда пожирает кролика.

— Может, возьмешь бедняжку на поруки? — слезливым тоном пропел Матвей. — Она и тебя отравит. Этих птичек успокоит только могила. Кстати. А как поживает наш дорогой Семен Пекарский?

Старик повернулся к Роману.

— Полагаю, он уже не поживает.

— Надеюсь, ты работал в перчатках?

— Я их вчера вообще не снимал.

— Хорошо. Ну, а при вскрытии твой суперсостав не обнаружат?

— Я не знаю, оставляет он следы в крови или нет. Это не имеет значения. Для этого надо взять кровь на анализ. Но кому такое придет в голову, если смерть наступила от охлаждения организма.

— И то верно, — кивнул Матвей. — Теперь Рита осталась голой.

— У нее есть сестра, — заметил Глеб. — А еще подполковник Ратехин. И вы не учитываете ее личного телохранителя Кирилла Майского. Тоже темная лошадка. А на данный момент мы даже не знаем, где его искать. А Снежану твои сыщики так и не могут проследить. Думаю, что девочке грозит опасность. Чем-то мы себя выдали.

— Рита должна появиться в одном месте, — сказал Роман. — По адресу своей дочери на Ломоносовском проспекте.

— Значит, Семен выкрал дочь? — спросил Матвей.

— Девочку я спрятал. Она травмирована. Семен Пекарский убил ее бабку. Я этого не ожидал. Трудно поверить в то, что она выживет. Я сделал, что мог, и вызвал «Скорую». Но мы не знаем ее имени. По больницам не проверишь.

— Ерунда, — отмахнулся Глеб. — Через центральную справочную могут сыщики Станислава выяснить. Нужно указать характер раны.

Роман достал из саквояжа обернутый в салфетку топорик.

— Вот этой штукой он шарахнул ее по затылку. Значит, бил со спины.

Глеб осмотрел топорик, не касаясь его, и, прищурив глаза, глянул на напарника.

— С кухонными принадлежностями на дело не идут, Рома. Опытный мент, бывший зэк. У него есть ствол. В худшем случае нож. За топориком надо сходить на кухню, да еще найти его там. Такими штуками каждый день не пользуются и на виду их не держат. Тут что-то не так. Надо снять с него отпечатки. Ну, а если старуха выживет? Она тебя узнает?

— Меня нет. Врача может вспомнить. Но он на меня не похож. Делайте отпечатки, и хватит об этом. Рита должна там объявиться. А потом у нее начнется паника. Бабка мертва, дочь пропала, Пекарский замерз в лесу возле дачи Ратехина.

— Этот Ратехин как бельмо в глазу, — обронил Матвей. — Его вмешательство может помешать нашим планам.

— Я не думаю, что Рита обратится к нему за помощью, — продолжил Роман. — Скорее всего, она заподозрит его в сговоре с Пекарским. Она морочит ему голову не один год. У мужика терпение лопнуло. Его дача очень хороший объект для содержания ребенка.

— Подполковник Ратехин трус и болван. Он под статью не пойдет. Тем более в сговоре с уголовником, — равнодушно заметил Матвей.

— Но это мы так считаем, — задумчиво пробормотал Роман. — А если девочку и впрямь у него найдут?

Глеб рассмеялся.

— Ну ты даешь! Фантазер! Она сдаст тебя в

первую очередь, и Ратехин лично наденет на тебя наручники.

— Я так не думаю, — тем же тоном ответил Роман.

* * *

Ему было чему удивляться. Роман не сомневался в том, что Лялька никуда не уйдет. Конечно, она не думает о последствиях, но ей хочется пожить свободно и почувствовать себя взрослой женщиной. Старая жаба держала ее в ежовых рукавицах. Вот он, долгожданный глоток свободы. Кто еще, если не запуганный врач, даст ей такую возможность. Он же подыграл ей и сделал вид испуганного и наивного мужичка. А девушке большего и не надо.

Дверь ему открыла женщина в вечернем платье на шпильках, в чулках, с подведенными глазами. Он даже вздрогнул, будто перед ним стояла Рита. Те же глаза, тот же взгляд и та же прическа.

— Устали, доктор? Проходите. Здесь вы обретете покой и тепло. То, чего так не хватает одиноким мужчинам.

Некоторое время он медлил, не решаясь войти в свою же квартиру. Тут даже запах изменился. И от нее исходил аромат дорогих духов.

— Откуда все это? — спросил хозяин.

— Так, нашла твою шкатулочку, набитую деньгами. Только не дергайся. Много не взяла. Обед решила приготовить к приходу любовничка...

— Я тебе не любовничек! Прекрати хамить.

— Ой, бедненький. Оскорбился. Я хотела сказать, своему возлюбленному. Так можно? Или пусть это будет нашей тайной? Короче говоря, я решила переодеться. Но не во что попало, типа твоих треников. Вот и купила немного тряпок. Но обед на первом месте. Я его приготовила, и он тебя ждет.

Девушка едва не втолкнула его в комнату.

На столе белая скатерть, свечи, цветы, новый сервиз, бутылка вина и шампанского и бесчисленное количество закусок.

— Индейка в духовке, чтобы не остыла. А ты думал, я ничего не умею? Моя покойная бабка говорила: «Путь к сердцу мужчины лежит через желудок!»

— У меня нет смокинга для такого приема.

— Простительно. Достаточно поцелуя в знак благодарности.

Он повернулся к ней, но поцеловать не смог. Она сама обвила его шею. Роман не сопротивлялся. Сейчас он вел себя как застенчивая девушка, а хозяйкой положения была она.

— Помойте руки, доктор, и за стол. Ты похож на ледышку. Это с непривычки.

Он молча отправился в ванную и сунул голову под струю воды. Эта история добром не кончится. Ему хотелось сбежать. Но и этого он не мог. Сказал «а», говори «б». Надо взять себя в руки. Все нормально. Малолетка перебесится.

Он вернулся в комнату и сел за стол.

— Зачем ты волосы намочил? Я же тебя в губы поцеловала.

Девушка сидела за столом по-царски. Нормально, ребенок развлекается. А что в этом плохого? Почему он из всего делает трагедию.

Он сел и открыл вино и шампанское.

— Ты тоже будешь пить?

— Что значит тоже? Кошки и собаки у нас нет, а кто еще будет пить. Я люблю шампанское. Легкий балдеж.

— Может, и куришь?

— Иногда. По настроению и особый сорт. У тебя его нет.

Выпили, поели, девушка не спускала с него глаз. От чужого человека чего угодно можно ожидать. Опять он перегибает палку.

— Вот что, милая девочка. У меня есть некоторые предложения...

— Значит, так! Ты мне не папочка, а я тебе не девочка. Меня зовут Леной или Лялей, можешь называть меня Лолитой, если тебе так нравится. Тоже на «Л» начинается. Девочек здесь нет. Или разговаривай со мной на равных, или я тебе покажу, какая я девочка. До могилы икать будешь.

— Покажи, Ляля. Именно этого я и хочу. Мне интересно знать, на многое ли ты способна. Я не так прост, каким кажусь. Хочешь вздохнуть полной грудью и пожить в свое удовольствие? Хорошо. Только надо закончить некоторые дела, и тогда тебя никто искать не станет, и я дергаться по пустякам не буду. Но хватит ли у тебя характера на такой вираж?

— Посмотрим. Толкуй свою идею.

— Бабулька твоя погибла, ты пропала. Выкрали. Твой папочка постарался. Пусть на нем и висит ответственность. Но у него есть друг, который его прикрывает. Мент. Подполковник. Если он тобой займется, то тебе будет худо. К тому же этот мент давний любовник твоей матери. А значит, будет выкладываться на полную катушку. Зовут его Юрий Ратехин. Нам нужно снять его с дистанции. А без твоей помощи никто этого не сможет сделать.

— Задачка понятна, Никитушка. Но у меня нет снайперской винтовки и стрелять я не умею.

— У женщин хватает оружия и без винтовок. Язык в том числе.

— Откуда у тебя столько информации?

— Мой друг руководит сыскным агентством. Сам из бывших. Торгует горячими новостями.

— Допустим. В чем идея?

— В тебе. Ты должна проникнуть в загородный дом мента и спрятаться там. Прятаться до тех пор, пока в дом не вломится ОМОН. Вот тут ты заклеишь себе рот и прикуешь себя наручниками к чему-то неподвижному. Лучше всего это сделать в подвале или на чердаке. Ты не должна находиться на виду.

— Гениально! Меня освобождают и передают на руки мамочке. А та стервозина цепляет меня теми же наручниками к батарее и хлещет плеткой.

Ляля налила себе полный бокал и выпила.

— Ничего не знаю о твоей мамочке, но я тебя вытащу из любой дыры.

— А ты знаешь, Никита, что с тобой будет, если не вытащишь? Меня можно ударить, и я стерплю. Но обмануть меня нельзя. Я всю жизнь положу на твои поиски и найду, где бы ты ни спрятался. Горло перегрызу и сама сдохну, но свое возьму.

У девочки был страшный взгляд. У Романа пробежал холодок по спине. Он поверил ее словам. Так все и случится, если он ее обманет.

После повисшей паузы Лена рассмеялась.

— Мне ничего не угрожает. А безмозглого папашку стоит наказать. Наверняка хотел с матери купоны состричь. Бездарь и алкаш. По роже видно. Пей, Никита. Тебе не повредит. Этой ночью ты должен быть храбрее и настойчивее.

— Ты опять за свое?

— Нет, за твое. За то, чтобы стать твоею, тогда ты будешь за меня бороться. А так ты лишь избавляешься от меня. Гениальный план! Сдать меня ОМОНу. Всю жизнь мечтала. — Она подалась вперед и заговорила шепотом: — Никита, я хочу жить здесь и с тобой. Ты мне снился, когда я тебя еще не знала. И я своего добьюсь. Ты меня еще не знаешь.

Он ее уже знал. Может, он и снился ей. Она его видела, и не раз, в семилетнем возрасте. Образ мог отложиться в подсознании, а с наступлением зрелости всплыть на поверхность. Ляля своего не упустит. Рита такая же. Берет все, что считает нужным, а кому это принадлежит, не имеет значения. Вот только в отличие от дочери у нее потребностей меньше. У Маргариты есть все. А дочка только начинает хотеть. Но и получив то, чего желали, они быстро понимают, что все это им не нужно. Женщины, лишенные главного. Постоянства! Вечные странники без своего острова. Несчастные люди!

— ...ты меня слышишь? Эй! Я здесь.

Роман очнулся.

— Я тебя слышу. Но мне лучше выпить водки. — Он принес из холодильника водку и налил себе целый стакан.

— Не много ли? Спящий принц мне не нужен. Она отлила полстакана в графин с водой.

— Я согласна сделать все, как ты скажешь, Никита. Но ты дашь мне клятву, что я вернусь сюда и мы будем жить как муж с женой. Согласен?

Роман выпил водку.

— На такой поступок способны немногие. Когда я увижу в тебе женщину, а не подростка, тогда мы и станем равными партнерами.

— А влюбиться в меня ты сможешь?

— Я не гадалка. Всему нужно время. Мы не сидим за одной партой, и я не дергаю тебя за косички. К любви дорога длинная. К развлечению один шаг.

— Ничего, я тебе докажу, что чего стоит.

Девчонка охмелела, и в ее глазах опять мелькнул огонек злости. И Роман понял, что не забывал Риту ни на секунду. Все эти годы она шла следом за ним, постукивая его по плечу. «Эй, парень, оглянись, я здесь!» Теперь ее место хочет занять дочь.

Вот почему он не мог простить ее. И Лялька такая же. Она тоже не умеет прощать. Но можно ли отыгрываться на дочери за мать? Может, и на Маргарите кто-то отыгрался в Лялькином возрасте. Вот ком и покатился с горы, разрастаясь от налипшей грязи.

— Не дрейфь, Лялька! Я тебя не предам!

— Пить тебе хватит. Мне тебя раздеть, как вчера, или сам справишься?

Он что-то хотел ответить, но не смог.

4

Дежурный полицейского участка пригородной станции Купавна сегодня болел. Вчера капитан усугубил с друзьями и взял на грудь лишку. Сегодня у него раскалывалась голова. День выдался тихий. Пришла зима. Летом туго приходится. Пол-Москвы сползается на пруды, и приходится запрашивать подкрепление. Сплошные пьянки, драки и даже поножовщина.

Звонок раздался неожиданно, и каждый раз капитан вздрагивал. Ему в этот день все действовало на нервы.

— Дежурный по отделению слушает, — рявкнул он бодрым голосом.

— В Старой Купавне на улице Пушкина, дом тринадцать, ребенка мучают. Девчачий голос слышан. Похоже, насилуют.

— Кто говорит?

— Соседи, кто же еще. Там постоянно оргии происходят. Теперь вот до детей дело дошло. Тут ОМОН нужен.

В трубке раздались короткие гудки.

Из пяти полицейских на месте было только трое.

— Так, мужики, выезжаем на Пушкинскую, тринадцать. С оружием. Брать всех, кто есть. Разбираться после будем. Живо. Работаем оперативно и быстро.

Полицейские спорить не стали. Опыт захвата у них имелся. Пляжных хулиганов толпами загоняли в обезьянник. Но зимой приходилось скучать. С Пушкинской проблем не возникало. Старую деревеньку еще три года назад выкупили и построили там коттеджи. Скупили их быстро и по солидной цене. Москва под боком, озера, природа. Люди там жили солидные, по машинам видно, но себя жильцы не афишировали. Бандюги нынче не бедные. Все имеют. Вот и решили оторваться по полной. Пора бы с ними познакомиться.

Наряд выехал. Хоть какое-то развлечение.

Возле дома тишина. Близко подъезжать не стали. Фактор неожиданности должен сработать на плюс. Калитка заперта. Перемахнули через забор. Подкрались к крыльцу. Дверь приоткрыта, вышибать не надо. Сержант сделал отмашку, и команда ворвалась. Носились по комнатам, но никого не нашли. Впустую старались. Послышался слабый женский голос. «Я тут замерзла». Вскоре голос повторился, но более отчетливо.

— Ищите подвал, мужики. Голос идет снизу, — скомандовал старший.

Подвал нашли быстро, люк был открытым. Приготовили оружие и осторожно начали спускаться вниз. Стрелять не пришлось. Тут без них проблему решили. У стеллажа для бутылок вина на земляном полу сидела девочка. Голая. Вся одежда ее была порвана и валялась рядом. Растрепанная, с синяками, дрожащая от холода, плачущая. Левая рука пристегнута наручником к стойке стеллажа. Рядом валялся обломок железной трубы с окровавленным концом, а на полу, на спине лежал мужчина с проломленной головой и спущенными брюками.

— Картина ясная, сержант. Тут следственно-оперативную бригаду надо вызывать.

— Иди на улицу и соединись с участком. В подвале рация не возьмет.

Один из полицейских поднялся по лестнице.

— Это ты его шандарахнула? — спросил сержант.

— Я. Он же издевался надо мной.

Другой парень осмотрел раненого.

— Череп цел. Выживет, поганец. Скоро в себя придет.

— Наручники на него, Копылов, и в машину. Там и останься, а вдруг он прыткий.

— Сделаем. Сань, подмогни.

Подбитого насильника вытащили из подвала.

— Как ты здесь оказалась, чудо в перьях?

Он снял с себя бушлат и накинул девочке на плечи.

— Снимите наручники.

— Нельзя, милая. Сначала тебя эксперты сфотографируют, а потом уже все остальное.

— Я же голая!

— Экспертов не стесняются. Они всякого навидались. И потом, твои фотки в журнале никто не увидит. Они нужны специалистам. А где ты трубу взяла?

— Под стеллажом. Там и другие валяются. Меня сюда позавчера отец привез. Его встретил хозяин. Не знаю, как его зовут. Видела только один раз в жизни. Да и папашка мой забрел случайно. Я его с трудом узнала. Лет шесть не появлялся. Весь из себя добрый. Подарок принес. Я и растаяла. Потом отец ушел с этим типом. Сказали, что скоро вернутся. Но он вернулся без отца и сразу же затащил меня в подвал. Потом все в сознании перевернулось. Ничего, кроме страха, не помню.

Больше сержант ничего не услышал от девчонки. Она лишь рыдала, а у оперативника зубы скрипели.

Бессознательное тело в наручниках полицейские бросили в зарешеченный салон «козлика». Тут к ним подошла женщина, немолодая и одетая просто.

— Сыночки, там метрах в двухстах возле тропинки через пролесок замерзший человек лежит. Мертвый уже. Шла утром на работу и увидела его. Я тут у одних богатеев уборщицей работаю. Звонить вам не стала. Думаю, другие позвонят. А вы приехали, но в лесок не заглянули. Я опять туда пошла. А он все лежит. Точнее, сидит, прижавшись к дереву.

— Иди-ка глянь, Копылов. Я при машине останусь.

Копылов с женщиной направились в лес.

Труп он и есть труп. Пустая бутылка из-под водки в руках. Шел, шел, да не дошел.

— Ладно, ты иди, мамаша, и помалкивай. Мы сами разберемся.

Копылов вернулся к машине и взялся за рацию.

* * *

Следственно-разыскная бригада приехала из областного управления. Воскресенье, никого ближе не нашли. Поначалу провели стандартные процедуры. Улики, отпечатки, фотографии. Лесным трупом занимались параллельно. Событие не рядовое для тихого поселка. В шкафу хозяина дачи висел китель подполковника полиции, а в кармане удостоверение. Поздно нашли. Теперь уже дело не замнешь, а тут еще труп. А если это звенья одной цепи? Следователь Ерохин подумал о чистках, которые проводит новый министр внутренних дел, и решил, что стоит подбросить ему дров в топку. Хватит уже церемониться со всякой гнилью. Ерохин был человеком принципиальным и опытным. Пять министров пережил и четырех генеральных прокуроров. Переживет и следующих. Кадровая чехарда его не коснулась. Ерохин ни с кем не конфликтовал, на совещаниях не выступал, взяток не брал, дела вел тихо, но результативно. Скандалы его обходили стороной. Но и высот он не достиг. К сорока пяти годам дорос лишь до старшего следователя с погонами майора юстиции. На скандальные дела его не направляли. Мямля. Сегодня его группа дежурила по управлению.

Раненый хозяин дачи все еще не пришел в сознание. От одежды девочки ничего не осталось. Нашли спортивный костюм и свитер. Ее одели и привели в гостиную, где горел камин. Девочку трясло. Она была очень напугана и замерзла.

Ерохин наблюдал за ней молча. Подготовил бланки протоколов, обстоятельно разложился на квадратном журнальном столике и, наконец, спросил:

— Сколько вам лет, барышня?

— Четырнадцать. Через месяц будет пятнадцать. Я Елена Семеновна Пекарская, живу с бабушкой на Ломоносовском проспекте, дом 8, квартира 167. Заканчиваю девятый класс двести двадцать шестой школы. Отличница. Претендент на золотую медаль.

— А родители?

— Мать вижу редко. Раз в месяц приезжает. Иногда с ночевкой. У нее своя личная жизнь. Отца плохо помню. Бабушка говорила, что он сидел в тюрьме. А до этого нас бросил. Позавчера, в пятницу, я поздно возвращалась из школы. У нашей квартиры встретила отца. Не виделись лет шесть, точно не знаю. Он меня обнял, прослезился и сделал мне подарок. Браслет с камешками. Похож на золотой. Но я ведь ничего в этом не понимаю. Красивый. Предложил поехать с ним на дачу. Мол, снег выпал, можно на лыжах покататься. Я сказала, что должна спросить разрешения у бабушки. Он ответил, будто с ней уже договорился, а сейчас она ушла в магазин. Он не дал мне даже в квартиру зайти. Возле нашего дома стояла его машина. Старые белые «Жигули». Но она не завелась. Может, до сих пор там стоит. Ехали на электричке. Потом пешком, и вот пришли сюда. Тут нас ждал хозяин. Я-то думала, что он меня на свою дачу зовет. О своем приятеле он ничего не рассказывал. Кажется, он называл его Юрой. И еще. Этого Юру я видела дней пять назад. Прихожу из школы, а он у нас сидит. О чем-то с бабушкой разговаривал. Но сразу ушел, как я появилась. Меня с ним не знакомили. Бабушка ничего мне не сказала, а я и не спрашивала. Как только мы приехали сюда, мужчины уединились на кухне. Водку пили, а я сидела здесь, в гостиной, и листала журналы. Пожалела, что поехала. Я могла бы и дома найти занятие поинтересней. Потом отец заглянул и сказал: «Мы отойдем ненадолго. Скоро вернемся с сюрпризом. Ты не скучай, дочка. У нас большие планы». Больше я его не видела. Примерно через час вернулся его приятель, но один. Вот тут все и началось. Он стал ко мне приставать. И все время говорил, будто я очень похожа на мать. Но откуда он мог ее знать? Дальше я ударила его по щеке, а он схватил меня и потащил в подвал, потому что я громко кричала. — Девчонка опять разрыдалась.

Ерохин терпеливо ждал. Говорит складно, он все успевал записывать. Видимо, она всю картину видела заново, прокручивая ее в сознании. Не ребенок уже по современным понятиям. К тому же отличница. Взгляд открытый, честный. На вранье не похоже, если учесть все, что они здесь видели.

Когда девушка успокоилась, Ерохин спросил:

— Вы сказали, что в свою квартиру не заходили. Значит, подарок отца у вас с собой?

— Да. Он в моей сумочке. Она где-то здесь осталась.

Сумочку нашли.

— Разрешите в нее заглянуть? — спросил следователь.

— Конечно.

Коробочка с дорогим браслетом лежала на месте. Камни настоящие, мелкие бриллианты, и золото с пробой. Ерохин надел перчатки, осматривая содержимое.

— Кстати. Я обратила внимание, отец не снимал перчаток, даже когда сюда пришел. И пальто не снимал. Может, на кухне не так тепло.

— Отпечатки не хотел оставлять. Вы же говорили, что он отбывал срок.

— Но он же не затевал преступление? — удивилась Лена.

— Пока еще рано говорить. А в чем он был одет?

— Очень просто. Обычное легкое пальтишко, серенькое в елочку. Без шапки. В пятницу снег выпал только вечером. Но перчатки дорогие, кожаные и хорошо облегающие руки. Черные. Я запомнила, потому что браслет на черном фоне очень красиво выглядел.

— А сколько ему лет? Какого цвета волосы?

— Около пятидесяти. Точно не знаю. В доме о нем не говорили. Он намного старше мамы. Волосы пегие. Что-то серое из-за седины. И их не так много. Он почти лысый.

Описание подходило под найденный в лесу труп. Вот только перчаток при нем не нашли. Карманы пусты. Похоже на ограбление или мародерство. Кто-то обшарил его карманы. Нашли лишь выключенный сотовый телефон в заднем кармане брюк. Практически он на нем сидел, а потому и не достался ворам.

Говорить о трупе девушке или нет, Ерохин для себя еще не решил. На трупе нет следов насилия. Он замерз. Но как таких результатов мог добиться задержанный подполковник Ратехин?

Начав приставать к девочке, он точно знал, что его приятель не вернется. И почему труп оказался возле дома? Это же риск. По словам потерпевшей, Ратехин вернулся через час. Не быстро. Он мог отвезти отца девочки до станции, даже напоить его и оставить там ждать электричку. Но тот передумал уезжать и решил вернуться, но не дошел. Тогда все получается.

— Скажите, Лена, хозяин дачи вас изнасиловал? Я к тому, что в этом случае вам придется написать заявление.

— Да. Но у него не все получилось. Я лежала в подвале на полу в наручниках и увидела трубы под стеллажом. Я не помню все точно. Пребывала в горячке. Помню, что дотянулась до одной свободной рукой, а потом ударила его по голове со всей силы, когда он лежал на мне. Спихнула его как могла и отшвырнула ногами. Он жив?

— Заживет как на собаке.

— Жаль, я хотела его убить.

— Только в суде об этом говорить не нужно. У этого типа крепкие тылы. Он подполковник полиции.

— Значит, ему все с рук сойдет, как моему папаше?

— С нами этот фокус не пройдет. Областная прокуратура не подчиняется Москве. И у нас свой следственный комитет. Но защитников он себе найдет достойных. Ваш отец тоже работал в полиции?

— Так бабушка рассказывала. Его турнули за взятки, а потом он погорел на наркотиках. Получил срок. Подробностей я не знаю.

— Как мы можем найти вашу маму?

— Она постоянно меняет телефоны и адреса. Мы тоже за последние пять лет трижды переезжали с места на место. Живем на съемной квартире. Школу я менять не стала. Приходится ездить на метро. Вы спросили, и я подумала: а как отец узнал наш адрес? Мы не виделись много лет.

— Вероятно, адрес дал ему хозяин дачи. Вы же говорили, будто видели его днями у бабушки. Он же сыщик. Работает в розыске.

— Значит, приезд сюда не был экспромтом. Они сговорились? Так?

— Будем разбираться. Придется вызывать вашу бабушку. Мы не можем вас отпустить. Вы несовершеннолетняя.

— Позвоните ей. Она тут же приедет за мной.

— Так мы и сделаем.

* * *

Врачи перевязали голову и зашили рану. Ратехин все еще не понимал, что с ним произошло. Из санчасти его доставили в следственный комитет под охраной. Уже за дверью медкабинета его ждали двое полицейских с автоматами. В конце концов, после налета на дачу бандитов его должны охранять как полагается. Задержанного доставили в областной следственный комитет и провели в кабинет следователя Ерохина. И это нормально.

Дальше все пошло наперекосяк. Подполковник изображал из себя невменяемого. По-другому не скажешь.

— Вы поймали налетчиков? — задал первый вопрос задержанный.

Он чувствовал себя уверенно, словно сидел за столом следователя и вел допрос.

Помолчав, Ерохин улыбнулся.

— Интересная трактовка событий. Давайте выслушаем вашу версию, господин Ратехин.

— Подполковник полиции Ратехин, — поправил задержанный.

— Вы не на службе, а пока лишь житель поселка Старая Купавна. Так что произошло?

— Налетчики могли залезть через окна на террасе. Я их еще не заклеил. И запереть забыл. Дерево отсырело, и фрамуги плохо стыкуются. Я телевизор смотрел и задремал. А потом меня кто-то шандарахнул по голове, и я вырубился. Врачи говорят, сотрясение мозга. Били от души.

— Так хотите выстроить картинку? Ладно. Когда вы приехали на дачу?

— В пятницу. Освободился рано и поехал на дачу. Там тихо и тепло. Я все выходные провожу на даче.

— Что вы делали в субботу? Вас кто-то видел?

На этот скользкий вопрос Ратехин ответить не мог. День он провел с любовницей, женой своего нынешнего начальника. У него была страсть к женам начальства. Ее никто не видел, а она никогда не сознается в том, что спала с ним и уж тем более ездила к нему на дачу. Проводил он ее только в воскресенье утром, потом пил. Но эти подробности никого не касаются. В личную жизнь Ратехин посторонних не допускает.

— Нет. Меня никто не видел. Я не выходил из дома. Горло болело.

— Налетчики пришли с целью ограбления, так надо понимать?

— Вероятно. Кто-то их навел на мой дом.

— Зачем же грабить полицейского, да еще в его присутствии? Для этого можно выбрать будний день. Вы же не возите ценности с собой. Хлопотно. При обыске мы нашли целое состояние. В кейсе за шкафом лежало полмиллиона долларов. Уже что-то. А в тайнике под подоконником второго этажа, который выдвигался подобно ящику стола, лежало двенадцать слитков золота по полкило каждый с клеймом российского банка. Тоже не мелочь. Так что же могли украсть налетчики, оставив в доме после себя полный порядок? Не считая кухни, где вы с кем-то пили коньяк. Две рюмки и две тарелки. Закуска засохла.

— Не успел помыть. Поленился.

Он и предположить не мог, что у него могли провести обыск, будто он в чем-то подозревался.

— Что еще вы нашли? У вас ордер имеется?

— Об этом чуть позже. У вас есть какие-то подозрения? Идея с налетчиками не проходит.

— Но кто-то меня ударил?

— Да, но не убил. Размаха не хватило. Вот если бы грабитель стоял над вами и ударил бы в полную силу, то мы с вами уже не разговаривали бы.

Ерохин показал фотографию обрезка трубы.

— Увесистая штука. У меня нет версий и врагов тоже нет.

— Враги всегда есть. Но мы о них ничего не знаем. А что вы думаете по поводу Семена Пекарского?

Ратехин откровенно растерялся. Об их связи никто ничего не знал. Именно на даче они и встречались. И даже если его кто-то видел, то фамилия на лбу у него не написана. Дачу он купил год назад, с соседями только здоровается.

— Гиблый человек. Когда-то он был моим начальником. Потом скурвился, и его уволили. Покатился по наклонной, начал торговать наркотиками. Влепили ему четыре года. С тех пор я его не видел.

— Однако его отпечатки нашлись. Да не в одном месте. Например, на ювелирной коробочке с браслетом. Там ваши и его отпечатки в комплекте. А жену Пекарского вы знали?

— Видел пару раз. Они разошлись до того, как его уволили. Не сошлись характерами.

Ерохин достал из стола удлиненную замшевую коробочку и открыл ее. В ней лежал удивительной красоты браслет с алмазами.

— Вам знакома эта вещь?

Подполковник хмыкнул:

— Купил своей невесте. Свадебный подарок. Но дарить еще рано.

— Он уже подарен Семеном Пекарским своей дочери. Красивая приманка, на которую девочка клюнула. Вопрос. Как браслет оказался у Пекарского? Есть два ответа. Он у вас его украл. Но, скорее всего, вы дали ему его сами. Напрокат. Побрякушка сделала свое дело и вернется на место. Конфетка для ребенка.

— Пожалуй, я ошибся. Это не мой браслет.

— Откуда на нем ваши отпечатки пальцев? Вы же не ходите в перчатках в отличие от предусмотрительного Пекарского. Он зэковскую школу прошел, да и сыщиком был неплохим. А вам все в жизни с рук сходило. Слишком самоуверенны, а потому и беспечны.

— Послушайте, майор. Хватит мне мозги пудрить. У вас на меня что-то есть? Выкладывайте. А нет, то мне здесь делать нечего. У меня выходной. В будний день я сам тебя к себе вызову и разговаривать будем в моем кабинете.

Ерохин убрал браслет в стол.

— Так мы ни о чем не договоримся, гражданин Ратехин. Наша версия событий убедительнее. — Ерохин выложил на стол пасьянс из фотографий, на одной из которых подполковник лежал на полу без трусов. — Вы обвиняетесь в изнасиловании несовершеннолетней девочки. Этой. Ее зовут Лена Пекарская. Ею написано заявление с подробностями. Это она вас ударила в порядке самозащиты. Молодец. Смелый поступок. По мнению врачей, на вашем половом органе остались мазки из влагалища ребенка. И этот акт приколот к делу. Пекарский приехал к дочери и попытался зарубить ее бабушку. К счастью, та выжила и сейчас лежит в больнице. Обманным путем Пекарский заманил девочку к вам на дачу. Очевидно, вы ему что-то обещали. Может, те же деньги или услугу. Вы его проводили до станции. Дальше мы на деле Пекарского закроем разговор. Следствие еще разбирается с ним. Не могу сказать, что большинство соседей его видело на вашем участке. Но они его опознали. Так что дружбу с ним вы поддерживали. Девочка стала вашей заложницей. И вы двое суток над ней изгалялись. Обвинение составлено. Вы арестованы. Пока по части изнасилования несовершеннолетней. Вашим делом занимается и убойный отдел, но это уже не моя компетенция. Под залог вас не выпустят. На это не рассчитывайте. Вы представляете угрозу для общества. Министерство внутренних дел от вас открестилось. Вы уволены задним числом. Известная практика. Советую посидеть в камере, подумать и написать чистосердечное признание. Года два со срока собьете или пойдете по полной. С лихвой хватит.

— Я требую очную ставку с Семеном Пекарским. Если это его фокусы, то я разгромлю все его замыслы.

— Рад бы, но ничем помочь не могу. Пекарский мертв. Его труп найден в двухстах метрах от вашей дачи. Там его и опознали соседи.

— Значит, все подстроила эта стерва Маргарита. Бывшая жена Пекарского. Он мечтал ей отомстить за то, что она его посадила и добилась его увольнения. Она сработала на опережение. Марго умная шлюха. Работает на международном уровне...

— Ну, хватит, Ратехин. Это свою валюту она хранит в вашем доме? Вы ее сутенер? Сегодня утром мне привезли ваше досье из управления, — Ерохин достал из стола папку, а из нее исписанный лист бумаги. — Вот ваше досье на своего начальника Пекарского, где вы указываете, кто и когда должен к нему прийти и принести взятку. По этому доносу его и взяли с поличным, а вы заняли его место. Жена Пекарского не могла знать таких деталей. И они к тому времени были уже в разводе. Месть мужу через шесть лет? Чушь собачья. А вы Пекарского боялись. От таких надо избавляться. Но вы же знали, что он умнее и хитрее вас. Пришлось идти на особые меры. А его дочка лишь компенсация за моральный ущерб. К тому же она очень похожа на свою мать, о которой вы так много знаете, даже спустя столько лет.

У Ратехина не нашлось ответов. Если бы его обвинили в убийстве президента Кеннеди и умышленном потоплении «Титаника» сто лет назад, то у него тоже не нашлось бы оправданий. Обвинение звучало абсурдно до маразма, но тем не менее было правдой. Следствию все уже ясно и без его объяснений. Он обычная мишень.

— Мне нужен адвокат, — сказал он обреченно.

— Разумеется.

Эта соломинка ему не поможет. Заявление малолетки перевесит что угодно, а фотографии доведут дело до логического конца.

Ерохин снял трубку и сказал только одно слово: «Конвой».

5

Женщина вовсе не походила на мать Лены, но ее привели именно в участок. Разыграли перед дежурным небольшую сценку встречи со слезами. Он вручил маме повестку к следователю, так как сам Ерохин был занят очень важными делами. На это и рассчитывали. Надо же как-то избавиться от ребенка, не держать же его в клетке, тем более после травмы. Проформа. Она была выполнена. Бабушка приехать не смогла. Ерохин с горечью доложил внучке о том, что бабушка в тяжелом состоянии находится в шестой городской больнице и в сознание все еще не приходила. Вот почему отец не впустил дочь в квартиру. Невыясненными остались два обстоятельства: кто унес орудие преступления с места происшествия и кто оказал первую помощь жертве, благодаря которой старуха выжила, а потом вызвал «Скорую помощь». Сам же спаситель ушел, оставив дверь квартиры открытой. Всех подробностей следователь девочке не сказал, а лишь упомянул номер больницы, куда отправили раненую.

Леночка долго плакала. Тут он ей ничем помочь не мог. Удивительно, но дежурный по участку, тот самый похмельный капитан, даже паспорта у матери не спросил. Лена ждала маму в станционном отделении милиции. Она звонила домой от дежурного, и тот слышал ее плачущий голос.

Трубку взял Роман, и звонила она ему.

— Мамочка, я в милиции на станции Купавна. Забери меня. Одну не отпускают. А бабушки нет дома.

— Хорошо, жди, за тобой приедут.

И мамочка приехала. Лена вырвалась на свободу. Надо сказать, что на партнершу Никиты по убийству она не походила. Даже запах духов другой.

— Куда тебя отвезти, дочка? — ухмыляясь, спросила «мамочка». Вид у дамы был приличным, и внешне она выглядела эффектно.

— На Ломоносовский. Мне надо переодеться.

— Как прикажешь!

Они сели в машину и тронулись.

— Ты подружка Никиты? — спросила Лена.

— Даже не знаю такого. Меня попросил приятель помочь своему другу. Я даже не знаю кому. За что тебя менты взяли?

— Ни за что. Свидетелем была. На станции парня зарезали. Я убийцу видела.

— Не страшно? Могут отомстить.

— В гробу я их видала.

— Смелая девочка.

Больше Лена не отвечала на вопросы. Тихо сидела и смотрела в окно. Сейчас она представила себя на месте следователя и искала в своих показаниях слабые места. Как она и думала, ее отправили на медицинскую экспертизу. Она оставила на подполковнике следов больше, чем он смог бы. Факт изнасилования налицо, а тут еще и фотографии подшили к делу. В любом случае Ратехин застрянет в тюрьме надолго. То, что от нее требовалось, она сделала. Теперь Никита поймет, что ей он может доверять. Она должна стать для него незаменимой. Не просто малолетней шлюшкой на пару ночей, а чем-то большим. Лена давно искала себе достойного партнера.

Лена вышла из машины за квартал от своего дома. Сейчас надо закончить начатое, а потом она поедет к Никите с развязанными руками. В квартиру она войти не смогла. Потеряла ключи. Топорик забрали менты. Черт с ним. Она держала топор через полотенце. Следов на нем нет. А ее папашка не дурак оставлять следы на орудии убийства. Тут все понятно. Но под кроватью осталась ее коробка, которая не должна никому попасть в руки. Не дай бог! Рановато она начала писать мемуары. Теперь они костью встали поперек горла. Но вряд ли менты делали обыск в квартире. Пекарский здесь не жил. Их интересует лишь убийство и улики. Кому придет в голову лезть под кровать в соседней комнате?

Потоптавшись у порога, Лена ушла.

* * *

Медперсонал больницы видел девушку на разных этажах. Обычная медсестра, с подносом, на котором стояли склянки, шприцы и ванночки. Волосы убраны под колпак, очки и марлевая маска на лице. Внешность определить невозможно, но все здоровались, а она кивала в ответ. Сегодня во второй хирургии делали две операции, и персонал был занят.

Лена дождалась момента, когда в коридоре не осталось медперсонала. Дежурную сестру вызвали звонком. В этот момент она проскользнула в реанимационную палату. Тут лежали двое с аппаратурой искусственного дыхания и капельницами. Свою бабку она тут же узнала, несмотря на забинтованную голову. Подойдя к ней, она приподняла голову больной и сделала ей укол в мозжечок. Пустой укол, состоящий из воздуха. След от укола не виден под волосами. Бросив шприц в ванночку, Лена тут же вышла из палаты. Медсестра разговаривала с больным в другом конце коридора, стоя к ней спиной. Пронесло. Она повернула в другую сторону и вызвала грузовой лифт. Внизу ее ждали санитары с каталкой. Больной был накрыт простыней с головой. Покойник. Хорошая примета.

Из здания она вышла через приемный покой. Ее одежда так и лежала на стуле, никто ее не тронул. Поднос с медикаментами, украденный в терапии, она выбросила в урну. Белый халат, колпак и повязку у входа в метро. Теперь она стала похожа на саму себя. Вот только вместо платья на ней был спортивный костюм размеров на пять больше. Собственное платьице ей пришлось порвать на лоскуты. Не жалко. Ничего нового, собираясь в «гости», она не надела.

Ключ от квартиры лежал в почтовом ящике. Значит, Никиты нет дома. Оно и к лучшему. Видок у Лены был не ахти. В квартире ничего не изменилось. Завтракал один. Доедал индейку. Она вымыла посуду, час лежала в ванне, отмокая после вонючего подвала, уложила волосы феном, надела красивое платье, чулки, сделала легкий макияж, не бросающийся в глаза, и полюбовалась собой перед зеркалом. Вот теперь она готова к встрече. Надо лишь что-то приготовить к приходу мужа.

Мимоходом Лена заглянула в шкатулку. Деньги лежали на месте. Она была уверена, что Никита их перепрячет после ее широких трат. Не стал. Значит, это не последние деньги. А тут тысяч триста, не меньше. Богатенький Буратино. Интересно, на каком поле дураков он зарыл свои золотые пиастры?

Никита вернулся вечером, и она опять встретила его вкусным ужином.

Сегодня он смотрел на нее особенно. Не так, как раньше. Во взгляде отсутствовала снисходительность. Он уже видел в ней женщину, чего она так добивалась.

— Как прошла твоя поездка? — поинтересовался Никита.

— Он был с бабой. Видимо, она осталась у него с субботы. Сидели на кухне, завтракали, а этот придурок лопал коньяк. На субботу у него алиби нет.

— А как же баба?

— У нее обручальное кольцо на пальце. Такие не сознаются, даже если их к стенке прижать. Как в том анекдоте. Муж застает жену с любовником, она надевает трусы и возмущается: «Ну вот, опять начнутся упреки и подозрения», — рассмеялась Лена.

— И что дальше?

— На мое счастье, она уехала. Он повез ее провожать. В дом залезла через террасу. Следы стерла. Провела обыск, нашла много любопытного. За шкафом кейс. В нем полмиллиона баксов. Зацени. Могла бы взять и смыться. Но ты стоишь дороже. Я ничего не тронула, кроме браслета с бриллиантиками. Его бросила в сумочку.

— Зачем? Улика.

— Нет. Связь моего отца с этим ментом. Отец меня не выкрадывал. И о бабушке я ничего не знаю. Он меня в подъезде встретил и, подарив браслетик, предложил поехать на дачу. Сказал, будто договорился с бабкой. А я будто поверила и поехала. Он привез меня к Ратехину, а сам уехал. Твоя схема. Только я немного изменила сценарий. Ратехина в похищении не обвинишь. Приятель привез дочку погостить на выходные, но его срочно вызвали на работу. И что? Фактов нет. Где свидетели? Ты, что ли? Мог бы сразу

ментов вызвать, как только прочел мою записку. Повесили всю работу на меня, так теперь слушай.

Лена разнервничалась, налила себе вина и выпила.

По сути дела, она права. Он подставил девчонку, а сам отошел в сторону. Авось сработает. Роман поймал себя на мысли, что не думал ни о каких последствиях. Ему нужен был скандал вокруг
найденного трупа в лесу, но она ничего о нем не
говорила. Может, его до сих пор не нашли?

— Так вот, — продолжила девушка. — Я вы-
брала для спектакля подвал. Ты же хотел, чтобы
меня там нашли. Чердак отпадает. На чердаке
есть слуховые окна. Я могла выбить стекло и закричать. Меня нашли бы еще в субботу, когда
этот козел с подружкой в постели кувыркался.
Вернулся Ратехин через час. Я успела принести
из сарая пару железяк поувесистей и спряталась.
Ратехин вернулся, остаканился и сел к телевизо-
ру. Я ждала. Ты сказал, что в милицию позвонят
в три часа. К тому времени он заснул. Я огрела
его по башке трубой. Может, перестаралась, но
пробовать на себе его кулаки мне не хотелось.
Оттащила козла в подвал, стянула с него штаны, порвала на себе одежду, измазала его член
своими выделениями и мочой, набила себе си-
няков и приковала наручниками к стойке стеллажа. Ключ от наручников сунула ему в карман.
А дальше все шло по твоему плану. ОМОНа не
было. Приехали три пентюха из местной менту-

ры. Вызвали профессионала из областной прокуратуры. Я написала заявление. Подполковнику крышка. Сядет надолго. А еще и деньги найдут. Зарплату за три жизни. Основной упор делала на отца. Он выманил, он привез, а потом сбежал или продал меня своему дружку. Скоро и его найдут.

— Откуда взялся браслет?

— Я его украла из ящика стола подполковника, когда делала обыск в его доме. Неожиданно папаша пришел со мной прощаться, мол, скоро они вернутся, я попросила надеть мне браслет на руку. Застежка ювелирная. Браслетик из настоящих камней. Вот тут ему пришлось снять перчатки и повозиться с замком. Так на браслете и остались его пальчики. Похоже, он видел его в первый раз. И уж конечно, никаких подарков мне не дарил. Мне нужно было как-то связать этих типов между собой. Нужна доказательная база. Иначе все будет выглядеть обычным трепом. Особенно если ты защищаешься от мента.

— Перебор! Ведь менты поверят всей твоей фантазии.

— Решетка по этому хмырю не один год плачет. Я не все деньги нашла. Времени не было. Это ему за красивые глазки давали или ментовские премиальные копил на пенсию? Сытая, довольная, наглая рожа. Таких убивать надо. Такая же сволочь, как мой папашка. О чем он думал, когда тащил меня к себе? Выкуп хотел с матери срубить. Дурак. Не на ту нарвался. Она из него котлету сделала бы. Ему повезло, что на тебя наткнулся... — Ляля рассмеялась, потом глянула на тарелки. — А ты чего не ешь-то? Вкусно же.

— Не хочется.

— Понятно. Расстроился, бедняжка. Не рассчитывал на меня. Я твои условия выполнила. Теперь, миленький, я буду твоей женой. Клятву давал. А увижу тебя с другой бабой, ей глазенки выцарапаю, а тебя убью! Догадайся с трех раз, шучу я или нет?

Роман направился на кухню за водкой.

Пенять не на кого. Он все устроил сам в трезвом уме и памяти. Никаких скидок. Что ж, обзавелся несовершеннолетней женой. В Азии в десять лет замуж выдают. Да и в России до революции о детстве ничего не знали. Как там у классика написано: «Мой Ваня был меня моложе, а было мне двенадцать лет».

Роман с силой ударил кулаком по столу.

В дверях появилась Лена в черном пеньюаре. Сегодня она чувствовала себя королевой. Такому изворотливому таланту ни в чем не откажешь.

— Не пора ли подумать, Никита, о моей матери? Пока она жива, нам с тобой счастья не видать. Ты мужик. Может, лучший для меня. Но даже нашей хитрости не хватит обвести Риту вокруг пальца. А думать об этом надо уже сейчас. Через пару дней она приступит к моему розыску. А у нее целая группировка на подхвате.

Роман словно очнулся.

6

Недавнее прошлое

Существование сестры-близнеца оставалось самой сокровенной тайной Риты. Вадим до сих пор не мог понять, как Снежане удалось заставить Катю убить Андрея. Вадим никого не знал, кроме вдовы по имени Снежана. Раскрытие тайны могло привести к шантажу. Партнеры умершего мужа побаивались загадочную вдову. Впрочем, она никому не мозолила глаза, а большую часть года жила в Париже. Поставляла запчасти для французских машин. Этот кусок пирога ей пришлось делить с компаньонами. Но она себя не очень-то утруждала работой. В фирме работали менеджеры и специалисты, а она лишь подписывала документы. В офис за Риту ходила сестра, так как Рита французского языка не знала и с трудом освоила несколько ходовых фраз для общения с продавцами магазинов. Новогодние праздники сестры отмечали только в Москве. В этом году они вернулись раньше обычного. Вызвал адвокат. Она с ним встретилась в своем доме на берегу Истринского водохранилища.

Опытный солидный стряпчий, доставшийся ей в наследство от мужа. Деловой, деликатный интеллигент лет шестидесяти. Андрей его ценил.

— Я полагаю, Яков Михалыч, вы меня не из-за пустяков сорвали с места. Если честно, то я скучала по своему дому. Мне здесь легче дышится. Но в Париже много дел.

— Конечно. Я понимаю. Но и тут не все гладко. Дело может дойти до раздела имущества. В суд поступил иск от дочери покойного Андрея Ефимыча. Она хочет опротестовать завещание отца.

— Батюшки, какие новости. У него есть дочь?

— Андрей был трижды женат до вас. Практически вы его очень плохо знали. У Андрея богатое прошлое. Вас можно назвать неожиданностью в его биографии. На поле сорняков выросла прекрасная роза. Нежданчик. Или чудо. Как хотите.

— Как зовут эту девочку? Расскажите мне о ней.

— Мария Андреевна Злотвер. Ей двадцать три года. Уже не девочка. Жену я не видел и не знаю. Дочь от первого брака. Отец ее любил. Девочку, а не жену. Купил ей квартиру, машину. Машу я видел. Симпатичная, не дурочка, себе на уме барышня. А перед папочкой сущий ангел. Качала из него деньги, как из дойной коровы. Но в плане интриг, думаю, слабовата еще. Не тот уровень, и нет практики. Слабым местом Маши можно считать ее гражданского мужа или сожителя. Как хотите. Живут уже три года, но все еще не расписаны. Кто мешает — непонятно. Зовут парня Максим Остапчук. Старше Маши на двенадцать лет. Дважды судим за мошенничество и за грабеж. Три года и пять лет. Боюсь, что все исходит от этого поганца. Он крутит девчонкой как хочет. Обычный тупой отморозок.

— Хорошие характеристики, Яков Михайлович.

— Я же готовился к нашей встрече. Материалы собирал по крупицам. Суд еще не разбирал ее заявление. На это уйдет время. Я могу регулировать сроки. Все зависит от суммы пожертвования.

— Ну зачем же. Чем скорее, тем лучше. Надо поставить точку в этом деле.

Тут адвокат замялся.

— Не все так просто, Снежана Аркадьевна.

— Есть подводное течение?

— Как говорит современная молодежь, «типа того».

— Выкладывайте.

— Она предъявила суду такое же завещание, как и у вас, где отец все имущество оставляет дочери, но составленное год назад. Оно недействительно. Но есть очень странная поправка, требующая экспертизы. На завещании пометка, сделанная рукой Андрея: «Все здесь изложенное подтверждаю». Его почерк я хорошо знаю. Далее стоит число, подпись, а главное — печать нотариуса. Число обозначено пятью днями позже написания завещания в вашу пользу. В практике такие случаи не встречались. Проще составить новое завещание, а не делать приписки в старом. Похоже, человек находился в неподвижном состоянии в больнице, а нотариус приехал к нему, забыв взять с собой бланки. Однако суд принял заявление дочери и странное по меркам юстиции завещание.

— И что теперь?

— У меня нет ответа. Суд может разделить имущество. Это в худшем случае. Случаи, похожие на этот, еще не разбирались в судах. Результат может быть непредсказуемым.

— Ее хахаль мошенник. О чем мы говорим?

— Не о нем. Заявление писала дочь, а с кем она живет, значения не имеет. Он ей даже не муж.

— Хорошо. Идите и думайте. Мне нужны их адреса.

— Хотите договориться? Они знают, каким состоянием владел отец. От такого куша добровольно не отказываются. На эти деньги три поколения проживут, не работая и купаясь в роскоши.

— Не возражаю, если эти поколения достойны. Но деньги достанутся уголовнику. И первое, что он сделает, прикончит свою подружку. Лишний рот никому не нужен. Миром правит алчность. Спасибо, Яков Михайлович. Я подумаю, что нам делать, если вы не способны.

Он положил на стол аудиокассету.

— У них есть это. Очевидно, Максим залезал в ваш дом, когда вы находились за границей. Такие вещи надо хранить в банке. Оригинал у них. Они сделали копию и выслали мне по почте.

Рита еще не догадывалась, что на кассете записано. Она всегда ходила с диктофоном и записывала все разговоры с клиентами. Пленки отдавала своему телохранителю Кириллу Майскому вместе с визитными карточками, украденными из бумажников, а тот составлял досье на клиентов, обладая полученной информацией. Так диктофон в кармане стал неотъемлемой частью ее гардероба.

Рита взяла пленку и молча вышла из комнаты. Аудиенция кончилась ничем. Впервые опытный адвокат почувствовал себя беспомощным.

Рита прошла в кабинет умершего мужа и поставила кассету в переносной аудиоцентр. Услышав свой голос, она вздрогнула.

«...пятнадцатого числа он пишет завещание и оставляет фирму тебе. Тогда ко мне ни у кого нет претензий. Покойнику не мстят. Но шестнадцатого он пишет второе завещание, где говорится о недействительности первого. И фирму он оставляет мне...»

Рита остановила пленку. Эта запись ее сговора с Вадимом до гибели Андрея. Она хотела записать только его голос, но и сама наболтала лишнего. Вошла в азарт. Ей не терпелось поставить заносчивого болвана на место. Молодец. Удалось. А потом бросила пленку в обычную коробку, где хранились и другие. Тогда она жила в съемной квартире. С тех пор о пленке не вспоминала. Все и так сработало, без шантажа и угроз. Рита уже забыла о ней. Значит, дочка Андрея следила за ней со дня знакомства Риты с ее отцом. Умна гадюка!

* * *

Рита поднялась к сестре в спальню. Девушки жили вместе и отказались от прислуги, чтобы никто не мог увидеть их вместе. Еду заказывали в разных ресторанах по одной порции. Приближался новогодний праздник, настроение было приподнятым, все складывалось удачно. Но на их пути никогда ничего не проходит гладко. Преодоление трудностей превратилось в привычку. Их осторожности мог позавидовать опытный разведчик. И все же сестрам нравилась их жизнь, похожая на работу канатоходца. Они постоянно балансировали над пропастью. Лидером оставалась Рита, а Снежана играла роль ведомой. И дело тут не в талантах, а в опыте. Опыт вырабатывает чутье, и оно их не подводило.

Снежана сидела перед зеркалом в ночной рубашке и расчесывала свои чудные волосы.

— На улице снег идет. Деревья белые. Такую красоту можно наблюдать только в России, — сказала Снежана, увидев отражение сестры в зеркале.

— У нас опять проблема.

— Нет таких проблем, которые ты не можешь решить.

— Могу, моя дорогая, но за твой счет.

— Это как? — обернулась Снежана.

— А так. Ты же неженка. На убийство не способна. Я тоже забыла, что это такое. Когда сдох Андрей, у меня камень свалился с груди.

Будто я таскала этот тяжкий груз наследственности всю жизнь. И вот освободилась от него и почувствовала себя нормальным человеком, а не маньяком, жаждущим жертв. Отдала долг и успокоилась. Впервые увидела небо. Оказывается, оно синее, а листья зеленые, цветы разноцветные, и есть в мире что-то еще, кроме денег.

— Это самовнушение, — ответила сестра. — Нет никакой наследственности.

Она вспомнила своего отца. Историю своих родителей Снежана так и не смогла рассказать Рите. Девочки были зачаты в тюремном изоляторе. Мать погибла, а отец был настоящим монстром. Умный, хитрый, но зверь. Рита того же склада. О себе она тоже была невысокого мнения.

— Нам предстоит совершить новое убийство. И опять мы станем подозреваемыми номер один. На этот раз выкрутиться будет сложнее.

— Мы можем вернуться в Париж. Кто нас там найдет?

— Не можем. Побег усугубляет подозрения. К тому же я должна наблюдать за событиями. Дочь Андрея претендует на наследство. И у нее есть шанс. Только что я разговаривала с адвокатом. Он пожимает плечами. Плохой признак для уверенного в себе человека.

— И что теперь делать?

— Идти на риск. По-настоящему, без притворства. И без жертв тут не обойтись.

* * *

Место выбрали случайное. Снежана сделала пучок на голове, закрепила заколкой из чистого золота с изумрудами, а сверху надела плотную меховую шапку на толстой подкладке. И все же Рита перестаралась. Удар получился слишком сильным. Сестра потеряла сознание, упав в сугроб. Рита проверила пульс, бросила монтировку и ушла в свою машину, стоящую в тридцати метрах от места происшествия. В машине она переобулась. Монтировку и старые кроссовки сорок третьего размера она взяла из багажника машины Максима Остапчука, возлюбленного дочки Андрея. На монтировке должны быть его отпечатки пальцев. Остальное приложится. Алиби у парня на сегодня нет. Кирилл Майский, бессменный слуга Риты, успел с ним познакомиться, разыграв из себя рубаху-парня. Сегодня они надрались до чертиков в одном из подвалов. А это не алиби.

Рита взяла телефон и глянула в окно. У нее навернулись слезы. Ей казалось, будто ее ударили, и она почувствовала такую же боль, как и сестра. Сентиментальная дура! Она и не помнит, когда последний раз в жизни плакала. Рита собиралась вызвать «Скорую помощь», но увидела машину, остановившуюся возле того места, где на снегу лежала сестра. Мужчина и женщина вышли и склонились над девушкой. Снежане чертовски везет. Валялась бы там Рита, ее до утра никто бы не нашел.

Через час во дворе работала полиция. Снежану увезла «Скорая». Рита облегченно вздохнула, но у нее покалывало сердце.

Теперь придется действовать быстро и решительно.

Сегодня она хотела навестить дочь, но в последний момент передумала. Лялька уже спит. Она все время застает ее спящей. Пора Авдотью с дочерью переселять. Их в первую очередь надо обезопасить. События могут повернуться не так, как она рассчитывает. За ее спиной не должно оставаться тылов. Одинокая, озлобленная волчица. Вот та роль, которая ее сегодня устраивает. Теперь с ее дома снимут слежку. Жертва в больнице. Значит, родных можно переселить без особой конспирации.

* * *

Все прошло очень быстро. Поздний вечер. Максим припарковался возле дома, где они с Машей снимали квартиру. Они вышли. На заднем сиденье лежала сумка с продуктами. Максим открыл дверцу и потянулся за ней. В эту секунду рядом остановилась черная иномарка. Из нее выскочили двое в черном и в масках. Один достал пистолет и дважды выстрелил в голову Максиму, а потом затолкал его на заднее сиденье. Второй схватил за рукав испуганную до смерти девушку, подтащил к своей машине и запихнул в салон. Убийца Максима не торопился. В карманы убитого положили какие-то вещи, оставив на них отпечатки пальцев трупа. Лежа на заднем сиденье, Маша ничего не могла видеть.

Убийца сел рядом с девушкой, а второй за руль. На всю операцию ушло не больше трех минут, и они умчались.

Маша потеряла дар речи. Она дрожала. Ей показалось, будто рядом сидит женщина. От нее исходил слабый аромат духов. Но какое это имеет значение? Стреляет она не раздумывая, точно и быстро. Девушку привезли в старый район Москвы. Тихий переулок. Тот, что сидел за рулем, вышел. Женщина, сидевшая рядом с Машей, заклеила ей рот пластырем, завела руки назад и надела наручники, после чего вытолкнула из машины. Ее обыскали, забрали все, что нашли, в том числе и ключи от квартиры. В подъезд ее завел мужчина. Это было понятно по росту и силе, с которой он ее держал.

Квартира на втором этаже выглядела убого. Похоже, дом был выселен. На жилое помещение не похоже, мебели тут не было. В одной из комнат горел допотопный торшер без абажура. С крюка люстры свисала веревка с петлей. Под ней стоял табурет сомнительной прочности. Маша попыталась сопротивляться, но у нее ничего не получалось. Мужчина в маске все же водрузил пленницу на табурет и накинул ей петлю на шею. Когда табуретка скрипнула, девушка замерла. Здесь не попляшешь.

Мужчина сорвал пленку с ее рта.

— Если не договоримся, ты сдохнешь. Кричать бесполезно. Тебя никто не услышит, а выбить из-под тебя табуретку — одна секунда.

— Что вам от меня надо? Я ни в чем не виновата. В дела Макса не лезу.

— Стоп! Не бубни. Он давал тебе слушать пленку жены твоего отца?

— Я не стала ее слушать. Он залез к ним на дачу, чтобы деньги украсть. Но сейф оказался ему не по зубам. Он начал листать книги в поисках загашников и случайно нашел кассету. Вырез в страницах книги был сделан под нее. Вот он ее и хапнул.

— Все! Не тараторь, как угорелая. Где пленка?

— В сапог засунул. В мой. Черные осенние сапоги лежат на антресоли в коридоре.

Мужчина достал телефон и набрал номер.

— Я на месте. Антресоль в коридоре. Черные женские сапоги. В одном из них пленка.

Он убрал трубку в карман.

— Снимите удавку. Я же могу упасть.

— Можешь. Стой смирно и не раскачивайся. Тогда уцелеешь. Ты уговорила Максима убить жену отца?

У девушки навернулись слезы.

— Я даже ее не видела. Мне ничего от них не надо. Это Макс все придумал. Но он не мог ее убить.

— Крыша съехала.

— Отпустите меня. Я хочу жить. Мне ничего не надо.

— Подумай еще раз. Заявление из суда ты заберешь. Оригинал завещания вышлешь по почте «До востребования». Кому, я скажу позже, если ты доживешь. Тебе придется хорошенько подумать. Мы не оставляем живых, если нам делают пакости.

Он опять заклеил рот ревущей девчонке и вышел из квартиры. Тут Кирилл Майский снял маску с лица и стер у нее пот. Впервые он играл роль палача, и она ему очень не нравилась. Он хотел пойти в соседнюю забегаловку и там напиться, но боялся, что девчонка может упасть и тогда ее уже не спасти. Риту не интересовала жизнь падчерицы. Она дала ему конкретное указание, и он, как послушный солдат, выполнял все, что она от него требовала. Кирилл приоткрыл дверь и присел на ступеньках темного вонючего подъезда. Минут через двадцать позвонил адвокат Риты.

— Мы нашли пленку. Сейчас вызову Ратехина. Он «найдет» труп в машине и сумеет связать нужные концы в один узелок.

— Что мне делать с Машей?

Адвокат хихикнул.

— Отведи ее к себе и приласкай. Эта чумичка должна отдать нам завещание. Или она умрет. Ты же собирался с ней договориться по-хорошему. Вот и пыхти. Но помни. Эта змея ядовитая.

Адвокат положил трубку.

Кирилл встал, отряхнулся и вошел в квартиру. Девушка все еще стояла, стиснув зубы, а ноги у нее стали деревянными, похожими на костыли. Она держалась из последних сил. Невероятная концентрация силы воли. Сейчас Кирилл ей завидовал. Сам он никогда не попадал в экстремальные ситуации. Жизнь не хлестала его по щекам. Он подошел к ней на цыпочках, будто боялся разбудить спящего. Сначала снял с нее наручники, но она не пошевелила руками. Девчонка в шоке. Может сорваться. Кирилл пододвинул второй стул, встал на него и снял петлю с шеи. На горле отпечатался след от веревки, напоминающий ожог. Он спрыгнул и снял ее со стула. Она окаменела, как окоченевший труп, суставы не работали, ноги не сгибались.

— Ну все, дорогуша. Смерть ушла. Ты можешь вернуться в этот мир.

И тут она словно разлилась, как вода из разбитой банки, и распласталась на полу без сознания. Волосы закрыли ее лицо, и только сейчас он увидел широкую седую прядь. Кирилл выругался. Он начал называть себя последними словами. Его душили злость и отчаяние. Не все женщины похожи на Риту. Не все имеют каменное сердце и высушенную душу. Есть и живые, с чувством, зрением и элементарными слабостями.

Он поднял ее на руки и понес на улицу. Его машина была припрятана во дворе. Его партнер не собирался за ним заезжать. У каждого свои задачи.

В дом, где они снимали квартиру с Максимом, ее везти нельзя. Там сейчас орудуют менты. Адреса ее родителей он не знал. Да и сказать им нечего. Адвокат прав. Придется ее пригреть на своей груди.

* * *

Подполковник Ратехин выслушал медэксперта, перелистывая паспорт жертвы.

— Два выстрела в затылок из «ТТ». Скорее всего, он нагнулся, что-то доставая с заднего сиденья. Там лежат сумки с продуктами. Убийца зашел сзади. Он его не видел. Сопротивления не оказывал. А мог бы. За поясом заткнут пистолет. Такой же «ТТ». Китайский, того же разлива.

— Возможно, свои грохнули, — кивнул Ратехин.

— Ты что-то знаешь, Юра? — спросил медик.

— Нужны уточнения. Остапчук по кличке Дылда уже мелькал в делах. Запрошу его досье и проверю. Увози труп, Пантелей, не собирай здесь зевак.

— Как скажешь.

— Снег примят, — продолжил подошедший криминалист. — Тут узкий проезд, машины то и дело шастают. Следы искать бесполезно.

— Уверенное заявление, Коля. А если стрелок пришел пешком?

— Нет. Он бы его в подъезде поджидал, а не рисовался бы на улице. Ехали следом. Остапчук припарковался к обочине и вышел. Второй с ним поравнялся и выстрелил. Потом лишь подтолкнул труп вперед, захлопнул дверцу и уехал. Стопроцентный глухарь.

— Не торопись с выводами. За так просто людей не убивают. Даже отморозков. Что-то нашел?

— Пистолет ты видел, героин в пакетиках можно не считать. Жмурику обвинения не грозят. Перстенечек любопытный. Дорогой, и на пальце болтается. С чужой руки.

Эксперт протянул подполковнику массивный золотой перстень с черным камнем. Тот его осмотрел.

— Тут гравировка есть: «А.Е. Злотверу в день юбилея». Надо бы выяснить, кто это такой. Кольцо можно снять только с трупа. А что этот обалдуй тут делал? Прописан в другом районе.

— Соседей опросили. Парня не знают. Но в кармане есть ключи. Можно примериться к замкам. Тут всего-то пять этажей.

— Хорошая идея. С этого и начнем.

* * *

Она очнулась в чужом доме, в постели. Долго соображала, где она очутилась. Ей снились кошмары. На горле все еще чувствовалась щиплющая боль, словно ее кололи иголочками. Ощупав шею, Маша вздрогнула. Это не сон. Все происходило на самом деле. В памяти всплыли чьи-то слова о завещании.

Девушка быстро вскочила с постели и нашла свои вещи. Они аккуратно были развешаны на стуле. Маша оделась и вышла из комнаты, попав в другую. Мужчина спал на диване, свернувшись калачиком. За окнами темно. В комнате горел торшер, возле дивана стояла опустошенная бутылка из-под водки и стакан. Маша осторожно выбралась в коридор. На этом ее планы оборвались. Крепкая железная дверь оказалась запертой изнутри. Ключей нет. Но он же ее не убил! Даже не изнасиловал. Правда, как можно изнасиловать полутруп? Насилие предполагает сопротивление. Она всегда смеялась над ментами, дающими интервью: «Маньяк убил свою жертву, а потом изнасиловал ее». Какая чушь ей лезет в голову. Она не может сосредоточиться. Мысли мотаются в голове, как бильярдные шары.

Маша тихо прокралась в кухню и подошла к окну. Совсем рядом, чуть левее, находилась Шаболовская башня. Большой квадратный двор с кирпичными девятиэтажками. Она находилась на пятом или шестом этаже. Прямо под окнами бойлерная. Одноэтажная будка желтого цвета. Примет немало. Адрес нетрудно установить. Телефона в квартире нет. Скорее всего, он просто выключен. Вряд ли квартира арендована. Здесь живет хозяин, на времянку не похоже. Очень много книг и дорогих вещей. Перевалочное гнездо выглядит иначе. Это вчера ее привели вешать в заброшенный дом. Но почему этот тип оставил ее живой? Это был он. Она узнала его по ботинкам, стоящим у дивана. Маша увлекалась психологией. Она часто давала людям характеристики по одежде, а потом ей рассказывали о ее подопытном правду. В восьмидесяти процентах девушка не ошибалась в своих оценках. Но что в этом проку сейчас. Она выжила только потому, что им нужно завещание. Но какую оно имеет силу, если наследник мертв? Значит, если ее убьют, то подозрение падет на другого наследника. Но этот тип сказал, будто жену отца убил Максим. Сплошная неразбериха...

— Кофе хочешь?

Маша вздрогнула и оглянулась. В дверях стоял высокий симпатичный парень лет тридцати, с благородным лицом и совсем не похожий на убийцу. Еще один? Нет, ботинки те же.

— Да, буду.

Он принялся готовить завтрак. Начал с яичницы, самое ходовое блюдо для холостяков. Женщиной тут и не пахло. Возможно, у парня проблемы с женщинами? Молодой, и уже импотент. Она наглядный тому пример. Маша знала, что чувствуют мужчины, когда ее видят. Особенно летом, когда она ходит в мини-юбках. Отбоя нет. А этот тип ее раздевал. Уж он-то видел больше других ротозеев.

— Раз я знаю, где ты живешь, то могу принести завещание к тебе домой. Обойдемся без почты.

— Приноси. Только позвони сначала. Я редко бываю дома.

— Ладно. Оставь мне номер своего телефона. Не боишься, что я ментов приведу?

— И что ты им скажешь? Доказательств у тебя никаких нет. У меня заготовлено алиби. Железное. Но самое смешное в том, что и сказать им ничего не смогу. Я наемный человек со стороны. В историю твоего хахаля меня посвятили. А ты-то ее знаешь?

— Он меня в постели устраивал. А жить с мамой-алкоголичкой мне надоело. Хотелось вырваться из плена. Квартиру мне отец снял. Он и деньгами меня снабжал. Макс сидел на моей шее. Меня это не очень-то волновало. Идея с завещанием мне не принадлежит. Я до таких игр еще не созрела. Умишком не вышла. Отец договорился со своим другом врачом, и его положили в больницу с сердечным приступом. Я тут же к нему прибежала. Его жена об этом ничего не знала. Для нее он уехал в командировку. Вызвал нотариуса и показал мне свое первое завещание, о котором я ничего не знала. Тогда он мне сказал: «Я все завещаю своей жене. Пока она так считает, то будет со мной жить. Я люблю эту женщину и боюсь ее потерять. Но я ей не нужен. И она даже не скрывает этого. Я взял ее напрокат, за деньги. Сам предложил, не она. И вот теперь я понял, что она не может дождаться моей смерти. Я боюсь ее больше, чем своих партнеров. Жить мне осталось недолго. Я сам подписал себе смертный приговор. Но я ей ничего не оставлю. Ты моя единственная дочь и наследница. И ты получишь мое состояние. Я так решил. Только не трогай фирму. Забудь о ней. Иначе тебя убьют». Вот так сказал мне отец.

— И твой Макс видел завещание? — спросил парень, ставя завтрак на стол.

— Он и задумал хапнуть деньги. Я не собиралась воевать за наследство.

— Дурак. Не понял, с кем дело имеет. Фирма досталась партнерам. И что удивительно, они носили Снежану на руках. А твой сопляк задумал ее убить. Не получилось. Она в больнице и видела своего убийцу. Вот почему его пришили. И тебя прибьют, если не отдашь завещание.

— А я решила, что с ней все в порядке. Это она стреляла в Макса. Все партнеры отца закоренелые уголовники. У них киллеров не хватает? Зачем на дело бабу посылать?

Кирилл удивленно поднял брови. По его глазам Маша поняла, что парень не прикидывается. Он не знал, с кем пошел на дело. Человек не снимал маску.

— У меня хороший нюх, — продолжила девушка. — Ее выдали духи. Такие не смоешь за один раз. И размер перчаток не мужской. Она держала меня за руку, пока мы ехали в машине.

Задание Кирилл получил от адвоката Риты, который объяснил ему все детали плана. Партнера он по имени не называл. Тот забрал его возле дома, приехал на машине в маске. Скорее всего, надел ее уже во дворе и пересел на заднее сиденье. Кириллу дали маску, когда приступили к операции. Оружие ему никто не давал. Ему вручили телефон. Для связи нужно было нажать одну кнопку. Никаких номеров. Странно, что операцией руководил Яков Михайлович Якобсон. Значит, Вадим доверял ему больше, хотя знал, с какой преданностью Кирилл служит Рите, а теперь Снежане Злотвер.

Имена она меняла как перчатки, но суть оставалась прежней.

Кирилл встал, ушел в комнату и вернулся с фотографиями.

— На этих снимках твой отец с молодой женой. Тут еще несколько ее фотографий. Я предлагаю съездить к ней в больницу. Сейчас Вадим, главный партнер твоего отца, выставил возле ее палаты усиленную охрану. Не знаю почему, но он ее особо опекает. Меня он знает. Я шофер Снежаны. Она мне доверяла. Почему бы тебе не посмотреть на свою мачеху? А заодно и убедиться, что это не она грохнула твоего отморозка, а он ее пытался убить. И это не миф, а факт.

— Я согласна. Но мне почему-то кажется, что тебя держат за дурачка. Наивный и доверчивый, как ребенок. Вчера на тебя жалко было смотреть. Это ты меня боялся, а не я тебя. Просто я очень растерялась и бормотала всякую чушь. А когда ты ушел, я себя похоронила.

— Я не ушел, — промямлил Кирилл, будто признался в преступлении. — Не смог.

— Сейчас я тебе верю. Дура я. И жалостливая. Оттого и с Максом жила. Жалела его. У меня стоит чайник под рукой с кипятком. Ты и моргнуть не успеешь, как я тебя им огрею. А ключи от квартиры у тебя карман оттопыривают. Ищите потом. Я умею прятаться.

Кирилл сник, как воздушный шарик; его настигло разочарование. Маша переставила чайник на плиту, а он не пошевелился.

— Ладно, я шучу. Завидую девчонке, которой ты достанешься.

В эту секунду Кирилл покраснел. Он ее стеснялся, как школьник, встретивший первую любовь. Лучшей женщиной в мире он считал Риту. Она завораживала его, как кобра добычу. Тут было совсем другое. Он смотрел на Машу и отдыхал. Массаж души, а не страсть и вожделение.

Он встал, так и не притронувшись к завтраку.

— Ты готова ехать?

— Я же сказала, что готова. А завещание я привезу тебе вечером, ты меня будешь ждать?

— Конечно, дело прежде всего.

Вот только сейчас он уже так не думал.

* * *

В кабинет старшего криминалиста Ирины Сергеевны Заболоцкой постучали. Она убрала бумаги со стола, как того требовала инструкция и сказала: «Войдите».

На пороге появился подполковник Ратехин. Тот самый, который давал показания на суде против ее сына. Она сумела его разоблачить. Мало того, заставила его подстроить против Пекарского подставу и убедила Ратехина, тогда еще капитана, написать на майора Пекарского донос. Прошли годы, но Ратехин до сих пор боялся железную леди в погонах и старался с ней не сталкиваться по вопросам службы. Но иногда приходилось.

— Я к вам по делу, Ирина Сергеевна.

— Догадалась, что не чай пришел пить. Ты еще на свободе?

— Вашими молитвами.

— Что у тебя? Коротко и внятно.

— Коротко не получится, Ирина Сергеевна. Тут одного отморозка замочили. Проверили его отпечатки. А они на днях уже светились в базе. По вашей заявочке. Некий Максим Остапчук по кличке Дылда. Он проходит по важному делу в связи с покушением на некую Снежану Дергачеву, по мужу Злотвер. Вдову. Так?

— Ты знаешь ее настоящее имя. Это Марго Пекарская. А паспортов у нее больше, чем марок у заядлого филателиста.

— Конечно. Я не спорю. Я о событиях и фактах. Имена дело десятое. Марго в коме и вы, как мне сказали, навещали ее в больнице. Женщина без сознания. Ее охраняет бригада крепких ребят. Они арендовали палату напротив. Платная палата не копейки стоит. Боятся, что киллер может ее добить. О монтировке с отпечатками им ничего не известно. Дылду они вычислить не могли. Грешат друг на друга, оттого и в охрану каждый из семерых выделил своего человека.

— О ком ты говоришь? Кто эти семеро? — раздраженно спросила Ирина Сергеевна.

— Объясняю. Марго вышла замуж за олигарха. Тот, понятное дело, долго не прожил. Марго получила наследство. Но фирму мужа отдала его партнерам. Их семеро. И они оберегают покой вдовы. И тут нашелся отморозок, не имеющий к вдове никакого отношения. Он и поднял на нее руку. Зачем? У партнеров покойного Злотвера полно киллеров. Они строили бизнес на крови. И почему до сих пор охраняют Марго, когда Дылда уже зажмурился? Все прояснилось, когда мы провели обыск в доме Дылды. Он жил на съемной квартире с подружкой. А подружку зовут Мария Андреевна Злотвер, дочь от первого брака покойного мужа Марго. Если Риту вычеркнуть из списка ныне живущих, то все наследство перейдет к дочери. Девушке двадцать три года. Не ребенок. С отцом поддерживала хорошие отношения. Окончила философский факультет МГУ. Психолог.

— Хочешь сказать, девчонка обыграла Пекарскую?

— Да дело в том, что Рита не знала о существовании дочери у своего мужа. О детях он умолчал, так же как и она о своем ребенке. Будто им по двадцать лет и у них нет своего прошлого. Девчонку допросить не удалось. За домом установлено наблюдение. Так же как и по адресу прописки. Она нигде не появлялась. Убили ее парня, могут убить и ее. Ему отомстили, а она наследница.

— Может быть, парень стал ей уже не нужен. Опасный свидетель.

— Нет. Это он отморозок, а не она. И зачем убивать его под окнами дома, где они жили? В квартире мы нашли ее вещи и паспорт. Найди мы труп Дылды на набережной, то и не знали бы об их знакомстве и о съемной квартире. Сочли бы за разборки между наркоторговцами. И вот еще одна деталь.

Ратехин положил золотой перстень на стол. Заболоцкая его осмотрела и увидела гравировку.

— Где взял?

— Снял с руки Дылды. Я позвонил нынешнему руководителю фирмы Злотвера Вадиму Коломийцу. Он был его ближайшим другом. Спросил про перстень. Он мне сказал, что Снежана, вдова Андрея, носила его на цепочке на шее. Показуха, разумеется. Но в больницу ее привезли без цепочки и без сумочки. Я сказал ему, что все вещдоки в полиции и будут возвращены Снежане после ее выписки из больницы. Он поверил. О Дылде и о дочери Злотвера я не заикался.

— Думаю, что оба дела надо объединить в одно. Я поговорю с генералом Потаповым. Можно и тебя назначить руководителем следственно-разыскной группы, если ты мне в течение трех суток найдешь девчонку.

Подполковник встал и отдал честь.

— Разрешите идти?

— Ступай, Юра, и работай. С трепотней меня не беспокой. Мне нужны только результаты.

7

Недавнее прошлое

С момента покушения на Снежану Злотвер прошел месяц. Приближалась новогодняя ночь. Врачи сделали все, что от них зависело, но женщина так и не приходила в себя.

Расследование убийства Максима Остапчука застопорилось на месте. Подполковнику Ратехину так и не удалось найти дочь погибшего Андрея Злотвера. Все, что ему удалось установить, не удовлетворяло его планов. Девчонка жива. На следующий день после убийства ее парня она появилась в суде и забрала свое заявление и завещание. Ее запугали. А значит, она где-то прячется. Искать в Москве беглянку без особых примет бесполезно. Он выдвинул версию, будто ее тоже убили. Ни фактов, ни подтверждений этой версии не нашлось.

Маша принесла завещание Кириллу, как и обещала. Заявление в суд порвала у него на глазах.

— У тебя есть выбор, Кирилл. Три варианта. Ты можешь меня выгнать. Я уже не представляю опасности для твоей хозяйки. Меня найдут менты. Скорее всего, они захотят меня использовать. Для начала надо убрать Снежану. Женщина беспомощна. Мы с тобой ее видели. Запеленутая кукла. Охрана не поможет, если придет ОМОН. А проще убить ее прямо в палате, отключив аппараты жизнедеятельности. Ты можешь убить меня. Избавишься от бельма в глазу. Я всем дей-

ствую на нервы. О тебе никто ничего не знает.
Ты невидимка. И третий вариант, самый простой. Я остаюсь у тебя. Здесь меня никто искать
не будет. Могу спать на диване. У тебя для него
ноги длинные, а мне в самый раз.

— Я никогда не жил с женщинами. Хожу по
квартире голым, рассуждаю вслух и не всегда
цензурно...

— Не продолжай. Не воспринимай меня как
женщину. Я твой приятель.

— Не воспринимать? — Кирилл рассмеялся.

— Так что из трех? — резко оборвала Маша.

— Убийца из меня не получился. Живи.

— У тебя нет посуды. В травиловках питаешь-
ся? Надо купить кухонную утварь. Сама готовить
буду.

Так и начали жить вдвоем. Кирилл держался.
Девушка это видела. Но первый шаг сделать не
решалась. И вот он предложил ей вместе встретить Новый год. Лучший способ снять напря-
жение, которое уже перехлестывало через край.
У Маши от волнения забилось сердце.

* * *

Новогодний праздник не у всех стал радостным. Охранники в больнице и вовсе спали во
время боя кремлевских курантов. Из семи человек на дежурство пришло четверо. Трое и вовсе
не собирались бросать своих молодых жен в се-
мейное торжество. Пришли холостяки. Вадим,

отвечающий за порядок и дисциплину, разрешил им выпить по сто граммов, но не больше. Выпили. Проводили старый год и отрубились. Врачи тем временем пьянствовали двумя этажами выше. Начали в девять вечера, когда никого из начальства в больнице не осталось, а к полуночи медсестры устроили стриптиз для дежурных хирургов. Коридор клиники опустел.

Операцией руководил пожилой джентльмен в черной шляпе. Тот самый адвокат Риты по имени Яков Михайлович Якобсон, совсем непохожий на врача. Это он не дал Кириллу встретить Новый год с новой девушкой. Его вызвали неожиданно и без всяких объяснений. За две недели до несчастного случая Рита ему сказала: «Если я куда-то уеду, то выполняй все поручения моего адвоката Якобсона». Кирилл очень удивился такому распоряжению. Якобсон был личным адвокатом ее покойного мужа. Человек полезный, с учетом презрительного отношения коллег Андрея к юриспруденции. Но Рита не выкидывала нужных людей на улицу. И это он тоже понял. Но подчиняться старому прохвосту — уже перебор. Кирилл знал о Рите все. Так он думал. Знал все лазейки, приемы и даже каждого ее клиента не только в лицо, но и всю его подноготную. И тут такой странный приказ. Он не спорил, а лишь подчинялся ее прихотям, если они не составляли угрозу жизни хозяйке. И вот с неба падает третий. Некий серый кардинал. Он очень хорошо знал структуру фирмы Злотвера и все ее темные стороны. Она его перекупила. Теперь Якобсон получал вдвое больше, чем при старом хозяине. А Вадим не придавал адвокатам большого значения, считая их бесполезными и тупыми. Маргарита так не считала. Особенно после того, как Якобсон сдал ей все книги по черной бухгалтерии, о которых партнеры ничего не знали.

— Вы думаете, я разберусь в нескольких томах сплошных цифр?

— Найдите специалиста. Или я могу остаться при вас. Но мне предстоит двойная работа. Раньше я делил ее с Андреем. Теперь, как я вижу, мне делить ее не с кем, — выступил адвокат с встречным предложением.

— Это условие?

— Это предложение. Если мне поверил самый недоверчивый бизнесмен нашего времени, то я чего-то стою.

— Двойной ставки? — спросила она. — Но и у меня есть условия. Мои личные дела тоже лягут на ваши плечи. В качестве нагрузки. Но тайн у меня не меньше, чем у покойного Андрея.

— Я привык работать без выходных. Бобыль. Семейных проблем нет.

— Сторговались.

Человек со стороны ей нужен.

Этот разговор состоялся перед тем, как Рита передала адвокату одно из завещаний. Прочитав его, Якобсон понял, что у его работодательницы тайн немало.

Итак, Якобсон остался в машине «Скорой

помощи», которая беспрепятственно въехала на территорию больницы. Он сидел за рулем в белом халате, временно сменив свою шляпу на колпак с красным крестом. На дело пошел Кирилл Майский с партнершей. Теперь частный детектив понимал, что Маша не ошиблась. С ним в паре работала женщина. На этот раз ее лицо закрывала марлевая повязка, а на голове медицинский колпак. Он тоже прикрылся повязкой. Они заходили в больницу не через главный вход и не через приемный покой, а через морг. Двухэтажный домик стоял отдельно, за ельником, чтобы не травмировать души гуляющих больных. Они могли пройти в корпус где угодно, но не хотели этого делать. Нельзя оставлять свидетелей.

Сторож открыл им дверь. Пьяненький старикашка пил портвейн с истопником из шестого корпуса. Им вручили еще бутылку хорошего вина прямо на пороге. Старик даже забыл спросить, чего они забыли в мертвецкой на ночь глядя. Да ничего они тут не забыли. Современная больница имела подземные коридоры, связывающие корпуса. Отдельный коридор вел в морг. Покойников уже не возили по аллеям. Грузовой лифт спускал каталку в подвал, и тело перевозили без всяких свидетелей.

Они прошли путь от морга в обратном порядке к третьему корпусу и поднялись на нужный этаж на лифте. Все делалось молча. Женщина не разговаривала с Кириллом. Он должен был понимать ее без слов. Они оказались на этаже Риты. Охраны нет. Обычно двое толкутся в коридоре, остальные в палате. За столом дежурной по этажу никого. Горела лишь ее настольная лампа и дежурный свет в коридоре. Каталок тут хватало. Партнерша Кирилла закатила одну из них в палату Риты. Женщина лежала на месте и спала. Уже месяц спала. Они переложили ее на каталку и вывезли. Все происходило очень быстро. Кирилл соображал задним числом. Все было спланировано четко, делалось быстро, он выполнял роль мальчика на подхвате. На улицу они вышли через тот же морг. Сторож с приятелем крепко спали. Результат снятия пробы с подаренной бутылки вина. Вероятно, и охрану вырубили тем же путем. Риту переложили в машину, а нежная партнерша Кирилла вернулась с каталкой в морг.

Адвокат ее ждать не стал. Он завел двигатель, и они выехали за ворота больницы Машина довезла его до дома.

— Спасибо. Вы свободны, Кирилл. На сегодня все.

— А как вы ее выгрузите?

— Не беспокойтесь. Нас встретят.

Ничего не понимая, Кирилл вышел из машины.

Домой он пришел в час ночи. В комнате играла музыка, горели гирлянды на елке, которую он еще не видел, а Маша танцевала сама с собой и пела. Полбутылки шампанского опустошила. Он остановился и подпер косяк двери. Ему тоже стало весело.

Девушка его заметила и замерла.

— О! А вот и принц на белом коне!

— Извини, меня вызвали.

— Да ладно, не оправдывайся. Я не в обиде. Пришел — хорошо. Не пришел — тоже не смертельно.

Она вдруг села на корточки, и из глаз полились слезы. Кирилл их уже видел однажды. Он сел на ковер рядом с Машей и поцеловал ее. Слова — лишь бесполезные звуки. Они обошлись без слов.

* * *

Один из охранников очнулся в пять утра. Остальные спали, сидя за столом. Как такое могло случиться? Он даже не помнил, что произошло. Как пили коньяк, помнил, а потом все померкло. Он пил и больше, но никогда не отключался. Парень вздрогнул. Это неспроста.

Встав на ноги и немного покачиваясь, он вышел в коридор. Тихо. Ни души. Он ринулся в палату напротив. Больная лежала на месте. Он вытер со лба выступивший пот. Пронесло.

— Подойди сюда, — сказала лежащая мумия.

Он вновь вздрогнул. Снежана пришла в себя. Приблизившись к кровати, он почувствовал, как ее рука схватила его.

— Где я?

— В больнице. На вас покушались. Мы с ребятами вас охраняем по приказу Вадима Степановича. Нас сегодня четверо, но обычно семь человек.

— Я слышала разговор врачей. Дня три назад пришла в сознание, но не подавала виду. Сколько времени я здесь валяюсь?

— Месяц. Сегодня первое января. Врачи отсыпаются после ночной пьянки. Сейчас пять утра.

— Надо уходить. Тихо и незаметно. Найди машину. Отвезите меня к Вадиму.

— Тут полный двор машин. Не проблема. Шоферы «Скорых» тоже праздник отмечали. Вы сможете встать?

— Не уверена.

— Ерунда. На руках отнесем. У нас есть ключи от пожарного выхода. Лежите. Сейчас все сделаем.

В большинстве своем город уже спал. Самые неугомонные пускали фейерверки во дворах, а у бригады охранников началась самая работа. Разбудили Вадима Коломийца и даже забыли поздравить его с Новым годом. Доложили обстановку. Он велел везти Снежану к нему на дачу в Сосновый Бор. Для безопасности воспользоваться машиной «Скорой помощи». Вадим был человеком строгих правил, и его приказы не обсуждались. Человек непьющий, некурящий, занимающийся спортом, сообразительный, авторитетный и очень требовательный. Таким и должен быть начальник. И все же хватки покойного шефа ему не хватало. Фирма несла убытки. У нового руководителя не было и гибкости, он не верил в компромиссы и был слишком упрямым. Ему бы в тренеры к спортсменам, и он бы преуспел на том поприще. А вести бизнес в трудных экономических условиях не его дело. Однако никто ничего менять не собирался.

Машину достали без проблем. Ключи не требовались, она открывалась и заводилась отверткой. Мальчики-телохранители имели опыт во всех делах. Каждый прошел школу зоны и не по одному разу. Предусмотрительные ребята захватили с собой не только одеяло, но и капельницу и даже аппарат искусственного дыхания.

На даче уже оборудовали комнату для почетной гостьи. Своих гостей Вадим выгнал и проветрил помещение.

Доехали без приключений. Больную занесли в дом. Она выглядела бодро, но слабость не позволяла ей активно двигаться. Хозяин выпроводил сопровождающих и велел отогнать «Скорую помощь» подальше от дома. Охрана больше не требовалась. Он остался наедине со Снежаной.

— Я очень рад, что все обошлось.

— Случайность. Меня спасла заколка на волосах и меховая шапка на подкладке. Кто интересовался моим здоровьем?

— Некая дама. Подполковник милиции Ирина Сергеевна Заболоцкая. Приходила несколько раз. Разговаривала с врачом. Твоя сумочка в полиции. Их интересует твоя история. По паспорту ты Снежана Злотвер. А кем была раньше? Такие вопросы задавались охранникам. Они ей объяснили, что беспокоятся за вдову своего

шефа и боятся киллера, не закончившего свою
работу.

— Девичью фамилию можно узнать в загсе,
а по ней мой старый адрес, и выйти на старую
мамашу.

— Тебя это беспокоит?

— Нет. Я не люблю, когда лезут в мою жизнь.
А теперь после моего побега мной заинтересу-
ются еще больше. Я не сбежала. Меня похитили.
Твои ребята должны это подтвердить. Дом и недвижимость я продам через своего адвоката. Мои
следы должны исчезнуть с лица земли.

— У тебя плохие отношения с полицией?

— У меня нет с ними отношений, и я не хочу
их иметь.

— Можешь вернуться во Францию. Оформишь там фиктивный брак и получишь француз-
ский паспорт.

— Один из вариантов. Если только меня не
поджидают на паспортном контроле.

— В Шереметьево тебе ехать не нужно. У тебя
шенгенская виза. Садись на поезд Санкт-Петер-
бург—Рига и мотай в Прибалтику. А там тепло-
ходом до Швеции. Небольшой, но безопасный
круг. А мы найдем заказчика. Дела идут медленно. Я до сих пор понять не могу, кто тебя мог за-
казать. Люди из прошлого? Мы же ничего о тебе
не знаем.

— Чистый лист бумаги. У меня нет прошлого.
Школа, институт и беззаботная жизнь.

Вадим усмехнулся.

— Позволь внести поправку. Мы ведь зря времени не теряли. За месяц выяснилось немало. И к нашему удивлению, без особого труда. Мои ребята тусуются в том же кругу, что и этот мужичок.

Вадим вынул из кармана фотографию и положил ее на стол. Рита не знала этого человека. Стопроцентный уголовник с кошмарной мордой лет пятидесяти.

— Продолжай, Вадим. Я слушаю.

— Это Тихон Плоткин по кличке Тихоня. Рецидивист. Восемь ходок за спиной. Последние шесть лет не попадался. У многих на него заточен зуб. Работал на чужих территориях. А один раз унес большой куш под носом у тех, кто уже спланировал это дельце. Хлеб у собратьев по перу отбирал. Работал очень быстро и чисто. Опыт. Плюс чьи-то мозги. Сам-то он мужик туповатый. В лидерах не ходил, но исполнитель хороший. Братва взяла его под наблюдение. Хотели понять, как обычный вор и мокрушник стал гением. И вот результат. — Вадим вынул из другого кармана еще три фотографии и разложил их перед Ритой. На них был изображен тот же уголовник в компании со Снежаной. На одной из них они обнимались. — Оказывается, у Тихони есть любовница. Даже уроду может раз в жизни повезти. Такую бабу себе отхватил. Она-то и была его мозговым центром. Криминальный талант. Прирожденный. Такому в институтах не учат. Девчонку решили не трогать, а Тихоню повесили в сортире. Не очснь верю этим отчетам. Тихоню голыми руками не возьмешь. Собаке собачья смерть. Ну, а как я понимаю, без боевика девушка не могла продолжать дерзкие налеты. Переключилась на более респектабельный бизнес и начала вычищать карманы слабых и порочных лохов. А потом встретила Андрея. Братков мы прощупали. Спрос был строгим. Но они поклялись, что тебя не трогали. Так кто же заказчик? Один из старых твоих клиентов? Ты вела пышную жизнь, Снежана. Врагов нажила немало. Глаза разбегаются. Не знаем, кого за грудки хватать.

Рита продолжала разглядывать фотографии, все еще не веря в дикую историю про сестру. Только сумасшедшая могла связаться с отпетым уголовником.

— Я заберу эти снимочки.

— Ради бога. Так где нам искать твоего убийцу? Я еще многого не знаю из твоей копилки тайн. Меня твое прошлое не интересует, Снежана. Все мы не святые. Но я должен понимать, откуда ветер дует.

— Досье на моих клиентов собирал Кирилл Майский. Ты его знаешь. Он надежный парень. Я ему доверяю. Ладно. Оставь меня. Я должна отдохнуть. Перегрузки мне противопоказаны.

Вадим молча вышел из комнаты.

Рита ошибалась, считая Снежану невинной овечкой. Она хотела воспитать сестру в своем духе. Сделать ее сильной и независимой. Способной дать отпор любой опасности. Черта с два!

Это ей надо учиться у сестренки выглядеть беззащитной овцой, держа топор за спиной. Не раскусила она родственную душу. Считала ее случайным исключением из правил. Как бы не так. Из поганого семени розы не вырастают. Она, сестра, дочь — все они сорняки. Не существует никаких исключений.

У Риты что-то сжалось в груди. Ей стало трудно дышать. Она закрыла глаза и попыталась заснуть. И лучше бы не просыпаться. Нет ничего святого на этой земле. И новую судьбу ни за какие деньги не купишь.

* * *

Дверь открыла молодая хорошенькая девушка с улыбкой на лице. Вадим не сразу ее узнал. Она повзрослела, похорошела, обрела формы, и взгляд у нее стал совсем не детским. К тому же ее платье, макияж и прическа не соответствовали возрасту. Он опешил. Улыбка сползла с лица девушки. Лицо стало непроницаемым. Она тоже его не ждала. Машу он знал с пеленок и был ее крестным отцом, носил на руках. А когда девочка подросла, давал ей деньги по секрету от отца. Вадим не имел своих детей и к сорока годам так и не женился, считая всех женщин шлюхами. Другие ему не встречались, он их и не искал, используя эскорт из дорогих красоток для сопровождения и в постели. Дочь Андрея Злотвера занимала особое место. Он не причислял ее к категории женщин. Они уже много лет не виделись. Андрей оставил семью, но с дочерью продолжал поддерживать отношения, встречался с девочкой на стороне, где их никто не видел.

И вот сюрприз. Мелодраматических сцен Вадим не терпел. Как себя вести, тоже не знал. Надо сделать вид, будто он ее не узнал, чтобы не вдаваться в полемику.

— Вы, очевидно, заказывали пиццу и ждете курьера. Нельзя распахивать двери на первый же звонок.

— Угадали. Жду курьера. Но не с пиццей, а с посудой из интернет-магазина.

Маша тоже не стала кидаться ему на шею, а решила подыграть крестному. А может, он и впрямь ее не узнал.

— Я могу повидаться с Кириллом Майским?

— Проходите. Он переодевается в спальне.

Вадим вошел. Хорошо обставленная квартира, елка с гирляндами, цветные обертки от подарков на диване, неубранный стол с шампанским и свечами. Идиллия. Он прошел в спальню. Кирилл повязывал галстук. Дверца шкафа приоткрылась. В нем много красивых женских вещей. Постель разобрана. Обе подушки примяты. Тут все понятно и расшифровки не требовалось.

Кирилл не ожидал подобного визита, но своей растерянности не показал. Парень умел сдерживать эмоции. Вадиму нравился шофер Снежаны. Исполнительный, неразговорчивый и всегда под рукой. Со всеми ведет себя ровно, фаворитов не имеет, за исключением собственной хозяйки.

— Мой визит можно назвать неуместным. Я не с поздравлениями пришел, а по делу.

— Такие люди, как ты, Вадим, на пустяки времени не тратят. Чем могу помочь?!

— Снежана у меня на даче. Она пришла в себя. Слава богу, в полном сознании и разуме. Но я не намерен прекращать следствие и обязан найти заказчика убийства. Есть предположение, что это кто-то из ее бывших клиентов. У тебя есть досье о каждом.

— Верно, — Кирилл продолжил возиться с галстуком. — Ты дошел и до клиентов, а я с них начинал. Ни один из них не мог найти Снежану. Они даже не знали ее имени. Она работала под псевдонимом Марго. И потом мы имеем дело не с бандюками, а с солидными людьми. Такие монтировками не пользуются. Я сам провел расследование и нашел убийцу. Он уже ответил за свою глупость. Две пули в башке, и он уже ничего не хочет.

— Почему я ничего об этом не знаю?

— Извини, Вадим, но я на тебя не работаю. И отчитываться не обязан. О таких вещах не принято кричать.

— Согласен. Ты прав. Кто это и как ты на него вышел? Я должен знать о результатах, чтобы прекратить поиски мифического убийцы.

Кирилл надел пиджак и осмотрел себя в зеркале. Он себе понравился.

— Мы идем в цирк на новогоднее представление.

— Нетрудно догадаться, что Большой театр детей не очень интересует. Они еще верят в деда Мороза.

— И умеют подавать документы в суд на раздел имущества.

Кирилл вынул из тумбочки ксерокопию завещания и подал Вадиму.

— Оригинал уничтожен. Заявление из суда забрали в обмен на жизнь. Сожитель дочери Андрея обычный отморозок, решивший ускорить процесс и не связываться с судом. Шансов немного. Проще убить вдову. Тогда и вопросов не возникнет. В итоге он сам сдох.

— А Машка перешла к тебе как трофей?

— Я за нее выбор не делал. Мы оба одинокие люди. Сработало обоюдное чутье.

Вадим прочитал завещание и комментарии, написанные рукой Злотвера.

— Я ничего не слышал об этом завещании. Фирмой открыт счет на имя дочери Злотвера в Сбербанке. Мы ежемесячно отчисляем ей деньги. Три процента от прибыли. Это не копейки при наших оборотах. Инициатива принадлежит мне, не все партнеры с ней согласились. Снежана не в курсе.

В комнату вошла девушка с гневным лицом.

— Вот только вы забыли об этом мне сказать.

Вадим оглянулся.

— К тебе домой был направлен курьер с кредитной карточкой и письмом. В нем и код обозначен.

— Я уже давно не живу дома. Теперь мне понятно, на какие деньги беспробудно пьянствовала моя мамаша. Мы жили с Максом на то, что он зарабатывал на наркоте. Устала бегать от полиции и его врагов. Он сам подсел на иглу и начал воровать героин из продажной партии. Собиралась от него сбежать. Но куда? И денег ни гроша, не говоря уже о крыше. Макс сдох. Туда ему и дорога. По-другому и быть не могло. А я влюбилась в его убийцу. Трагедия? Нет. Счастье. Я поздно стала понимать смысл этого слова. А за деньгами к отцу я не бегала. Он обо мне после бутылки водки вспоминал.

— Твой счет мы поменяем, — тихо сказал Вадим. — И карточку пришлем новую. На какой адрес?

— На этот, крестный. Надеюсь, Кирилл меня не выгонит.

Вадим направился к выходу. Его визит оказался сюрпризом. Но он во многое не верил. В то, что Маша подала документы в суд. Кто-то стоял за ее спиной. И не глупый отморозок. Кирилл неплохой сыщик, но как он узнал о завещании и иске против Снежаны? На ее имя повесток в суд не поступало. Его кто-то навел. И Кирилл не смог бы убить человека. Он живет по другим принципам. Сюда он пришел с вопросами. Но вместо ответов возникли новые вопросы.

После ухода Вадима Маша спросила:

— Почему ты взял убийство на себя? Ты же не стрелял. Макса убила баба.

— Вчера я ее тоже видел. И думаю, что мы с ней хорошо знакомы, хотя я не слышал ее голоса. Женщина, лежащая в больнице, не могла прийти в себя. А еще я видел кошмарный шрам на ее ляжке, когда мы ее выкрадывали из больницы. Думаю, что кукла с перевязанной головой — не Снежана. Двойник. И жена твоего отца хранит эту тайну за десятью печатями. Даже мне не доверяет. А сейчас здоровая и умная Снежана притворяется жертвой в доме Вадима. Боюсь, такой орешек нам не по зубам.

— Тебе все по зубам. Ты самый умный мужик на свете.

— Льстишь себе? Уж если мне кто-то достался, то самый-самый!

— Так оно и есть. И в первый раз в жизни.

Маша его нежно обняла.

8

После похищения из больницы Снежану спрятали на какой-то даче. Судя по озеру под окнами, это был богатый особняк со знакомым видом. Очевидно, их дача на Клязьме, где-то рядом.

После трудного разговора с сестрой Снежана старалась не заходить в ее комнату. Она наняла себе опытного врача. Сама, без посредников. Он был другом военного атташе, за чьей квартирой она ухаживала и знала которого много лет. Когда-то он служил в госпитале и тоже носил погоны. Теперь стал одним из ведущих специалистов Института судебной психиатрии им. Сербского. Такой человек Снежане был нужен. За себя она не беспокоилась. После аварии она словно протрезвела. Она даже мыслить стала по-другому. И такое случается.

Якобсон оставался с больной, а Рита сумела приехать лишь на третий день, когда у Вадима возникли дела, и он куда-то умчался. К ее приезду врач появился в доме уже в пятый раз.

— Ничего сказать не могу. Надо достать ее историю болезни. И быстро, пока ее не сдали в полицию. Травма практически затянулась. Сердце в полном порядке. Легкие хорошо прочищены. Но что делается в ее мозгу, одному богу известно. От комы она очнется. Но восстановится ли память? Не знаю. Могут быть помутнения или развитие эпилепсии. Я бессилен, пока она не пришла в себя.

— Поняла. Продолжайте за ней наблюдать. Ежедневно. Найдите хорошую сиделку из опытного медперсонала. Не торгуйтесь. Деньги не имеют значения.

— Не беспокойтесь. Если я берусь за работу, то довожу ее до конца.

Доктор ушел.

— Я смогу быть здесь еще день. От силы два, — сказал адвокат, стоящий у окна. — У нас куча других дел.

— Все обойдется, Яков Михалыч.

— Надежда юношей питает.

— А я всю жизнь прожила только надеждой. И не на Бога, а на собственные силы. И они еще во мне остались. Нужно будет, горы сверну.

Якобсон улыбнулся.

— Не сомневаюсь в ваших способностях. Как вас принял Вадим?

— Он ничего не заподозрил. Его бандюки ведут свое расследование. Смешно. И тем не менее они сделали для себя и для меня неожиданные открытия. Конец получился смазанным и выводы примитивными, но работа проведена неплохая.

— Боюсь, вы его недооцениваете. Вадим Коломиец очень опасный человек. А вы продолжаете поддерживать с ним отношения.

— Согласна. Он знает больше, чем ему положено. Но пока второе завещание у меня, он ничего не сможет сделать.

— К сожалению, оно всего лишь блеф, который вам удалось разыграть с безупречной хладнокровностью. Но если явь выплывет наружу, то о последствиях и подумать страшно.

— Злую собаку можно отвлечь сахарной косточкой, Яков Михалыч.

— Для этого вам и нужна сестра?

Снежана вздрогнула. Дверь во вторую комнату была открытой, и она слышала все разговоры. Рита ошиблась только на сутки. Снежана пришла в себя не три дня назад, а четыре, еще в больнице, но не подавала виду, что вышла из комы. И сейчас молчала, не понимая, где находится. Но, услышав голос сестры, доносящийся из другой комнаты, захотела закричать. Сил не хватило. А теперь ей вовсе не хотелось проявлять признаков жизни.

Рите не нужна сестра. Ей нужен двойник для своих махинаций, а в случае опасности им можно пожертвовать. Снежана считала себя грязной тварью, ненужным отребьем. И вот на ее пути встретилась умная, красивая леди, с которой они одновременно вылезли из одной утробы. Женщина, пережившая в жизни много горя. Она готова была отдать ей все, даже свою жизнь, чувствуя себя виноватой перед сестрой. Оказалось, что этого она от нее и ждет. Отдай все, и жизнь в придачу.

Рита зашла в комнату к больной и села рядом.

— Эх, подружка. Как же я в тебе ошибалась, — полушепотом начала Рита. — Ты оказалась такой же шлюхой, как и я. Хуже. Жила с уродливым бандитом и ходила с ним на грабежи. И это с твоими-то способностями и красотой.

Снежана не выдержала. У нее полились слезы. Притворяться не имело смысла.

— Он не урод, он наш отец! — прошептал ее слабый голос.

Снежана рассказала о тюремном романе матери и отца. Мать погибла еще девочкой, немногим старше дочери Риты. Ко дню получения паспорта она уже ходила под расстрельной статьей. На отца Снежана нарвалась случайно. Чудом выжила, да еще стала его спутницей. Мало того, это ей нравилось. И она стала его верной подругой и хитроумным наставником. Когда Тихоня понял, что живет со своей дочерью, которую безумно любил, даже в таком звере родилась совесть, и он без сожаления ушел из жизни. Наивный, он думал, что награбленных денег ему хватит, и дочка начнет новую жизнь. Не тут-то было. Снежана встретила Риту, а та ей велела избавиться от напарника. Вряд ли она решилась бы на этот шаг. Тихоня все решил за нее. Теперь они точно знали, что сиротство — их судьба.

— Может, ты мне чего-то недоговариваешь? — резко произнесла Рита. — Есть еще люди, знающие нас двоих? Две сестры — это банда. Предварительный сговор удваивает сроки. Наш главный козырь, что ты и я — один человек. Нет никаких банд! А главное, что мы создаем друг для друга безупречное алиби, это и есть наш главный козырь. Вадим до сих пор не может понять, как я могла убить Андрея, находясь весь вечер у него на глазах. О сестрах не знает никто. Иначе грош нам цена.

— Кирилл знает. Он тебя узнал в своей напарнице. Маски — лишь прикрытие. Мужик сердцем чует, тем более когда он влюблен.

— Есть люди, которых не следует брать в расчет. Сегодня они есть — завтра их нет. — Рита усмехнулась — По сути, и нас нет. Ходячие призраки монстров. Жизнь на этом свете для нас не предназначена. Наше место в пекле. В преисподней. Скоро мы туда и отправимся.

— Не хочу на тот свет. Я в Париж хочу! — твердо заявила Снежана.

Рита остановилась посреди комнаты и с прищуром глянула на сестру.

— Мы потомственные звери. Кирилл был прав. Стоит лишь начать, потом не остановишь... — Рита легко сменила тему. — Интересно, чем занимается моя дочь? Перерезает кому-то горло или трахается с уголовником? У вас с ней один характер. Жалостливые пахучие мимозы. Жаль, что аромат смертелен. Ты устала. Тебе надо заснуть.

ГЛАВА ТРЕТЬЯ

1

Сегодняшние дни

Так или иначе, но Рите приходилось появляться в доме Снежаны, пока та лежала в больнице, а потом на даче под присмотром опытного профессора. Несмотря на то, что она пришла в себя, двигаться ей не разрешали. Хуже всего, если родня объявит розыск пропавшей. В своем виде она приходила редко. Большую часть в образе старушки с девятого этажа. Так удобней наблюдать обстановку. И по этой части появились новости. Люди с одними и теми же лицами шастали по двору, переодетые в униформу рабочих ЖЭКа. А тут еще домработница сказала, будто по квартирам ходят водопроводчики. А это значит, что они видят каждый метр квартиры. Рита позвонила в ЖЭК, и ей объяснили, что подготовка дома к зиме закончилась еще два месяца назад. Никого они в дом не посылали.

Тут стало ясно, что кто-то вышел на след Снежаны и, очевидно, уже немало знает о ней. Нужно принимать меры. Рита не могла понять, кто так заинтересовал ее сестру. Все враги лежали у нее на ладони, и меньше всего их могла интересовать квартира на Таганке. Если только не болтливая мамашка. Этот ломоть пришлось обрезать.

Рита заказала себе «куклу». Работал на Мосфильме отличный специалист. Он даже маски на лица делал из особой резины телесного цвета, шрамы, оторванные конечности и прочие уродства для съемок боевиков.

Она принесла ему фотографии изуродованной ноги Снежаны и попросила сделать такой слепок, чтобы его, как чулок, можно было надевать на ногу. От предложенных денег мастер не мог отказаться. Столько он и за год не зарабатывал. Слепок получился идеальный. Вплоть до деталей. Надевай, немного припудри, и ты урод.

Смысл заключался в следующем. Квартиру надо изучить. Мамаша не помеха. Привязана к инвалидному креслу. Служанка уходит в шесть. Около восьми может вернуться Снежана. У сыщиков есть два часа. Мало. Тут требовался не один день. Кто-то остается в квартире. Надо запутать все следы, а заодно и выяснить, кто еще вмешался в ее игру. Врагов и без того слишком много.

Рита решила не спугивать своих клиентов. Она опять вырядилась в старушку с девятого этажа и решила попасть в дом незамеченной. Однако сыщики, работавшие на Матвея, усилили контроль. Мало того, они до сих пор не вычислили конспиративную квартиру, где могла прятаться девушка. И где живет Снежана? Она появлялась раз в три дня, но не чаще. Женщина превратилась в загадку.

Но вот неожиданная зацепка. Один из наблюдателей заметил старушку с девятого этажа около шести вечера. Он хорошо помнил, что утром за ней приезжало такси и грузили какие-то чемоданы. Уехала на дачу или к родственникам, вопрос не столь и важный, но ее появление вечером возле дома с небольшим рюкзачком выглядело очень странно.

— Эй, бабуся, притормози, — добродушно окликнул ее парень.

Старушка смиренно остановилась.

— Садись в сугроб. Не бойся, подниму.

И опять она подчинилась. Рита не хотела выдавать своего голоса. В кармане ключи и кошелек с мелочью. Ее ничего не пугало.

Парень достал резиновые подметки, обрезал их по размеру и посадил на какой-то белый клей.

— Забота, мамаша, о таких нерадивых вроде вас. Без набоек недолго и нос расшибить. Дома подсохнут, и на твою жизнь хватит.

Сделав свое дело, парень подал руку бабульке. Как это ни удивительно, она оказалась очень легкой.

Этот фокус придумал Матвей. В соседней машине сидел ученый пес. По запаху клея он мог привести вас куда угодно. Облава носит серьезный характер, подумала Рита. Им нужен только подходящий момент. Ну что ж, она им его устроит. Пора убирать лишних с поля боя.

Старушка зашла в лифт и нажала кнопку девятого этажа. Пока лифт ехал, старческое барахлишко вместе с валенками перекочевало в рюкзачок, а из кабины вышла вполне приличная молодая женщина и неторопливо направилась вниз пешком. Возле квартиры Снежаны она остановилась, услышав громобойный голос служанки.

— Вот гад! Удрал и ничего не сказал, а сапоги у дверей оставил. Интеллигентный. Да он и на водопроводчика-то не похож. Надо глянуть, не спер ли чего.

Сапоги он убрал, а из квартиры не выходил. Он не знает, что ключи от нижнего замка висят на гвоздике. Он в ловушке, если голова плохо кумекает.

Рита глянула на часы. Скоро горничная уйдет. Вот тогда она вступит в свою игру. Рита спустилась еще на два этажа и открыла своим ключом 158-ю квартиру. Теперь внимание. Надо избавиться от старушечьей одежды. Мусоропровод проверяется, а все, что выкидывается в окна, на снегу хорошо видно. Она знала, что делать. Детали были отработаны до автоматизма. В чулане лежало несколько сеток с овощами, как у хорошей хозяйки. Сетка лука, сетка моркови и даже капусты. В рюкзак она положила лук. Потом переоделась, но больше всего времени отнял шрам-чулок. Его еще надо покрыть тальком, кремом и пудрой. В итоге он не отличался от настоящего. Кто-то его сегодня увидит. Но этого мало. Снежана была дома. А если им что-то известно о больнице и женщине в коме, то ею могла быть только Рита. Она подготовила все для отхода. Даже такси к подъезду вызвала на точное время. Автоматизм закончился, теперь пора включать мозги.

Рита вышла из квартиры и заперла дверь. Возле квартиры Снежаны она прислушалась. Тихо. Служанка ушла. Теперь нельзя спугнуть сыщика. Перед дверью она уронила ключи. Долго возилась с замками и, наконец, зашла.

Нижний замок заперт. Может, она в чем-то перемудрила? Зашла, зажгла свет, что-то крикнула матери, стараясь делать голосок тоньше и писклявей. Потом обошла остальные комнаты. Все на месте... Нет. В спальне не задвинуто стекло книжного шкафа. Все правильно. Где же ему быть, как не здесь. Пора начинать спектакль. Рита, пользуясь неумелыми манерами сестры, выряжалась в шлюху. Свои ножки она продемонстрировала со всех сторон. За ней следит не мент. У того бы терпение лопнуло. Этот человек себя не выдаст. И не надо. Он сам скоро выйдет со своими идеями на прямую дорожку. Вот только надо дать ему понять, что она змея ядовитая, кусает быстро, легко и безболезненно.

Покончив с одеждой, она погасила свет и вышла из комнаты. Ее так и подмывало сделать ему пакость. Унести запасные ключи с гвоздика. Но она не стала этого делать. За ней он не побежит.

Зайдя к матери, она что-то говорила о таблетках, громко и четко, а потом запихнула ей в рот смертельную дозу и облила ее молоком. Все старухи неуклюжи.

Рита ушла, что-то крикнув на прощание. Ключи она все же оставила. Спустившись в 108-ю квартиру, она скинула с себя вульгарный наряд, вызвала по телефону такси и переоделась в мужскую одежду. Да не простую, а генеральскую. На подгонку шинели по фигуре тоже ушло немало времени. Зато под папахой хорошо укладывались волосы. Усов и очков для полной картины хватило. Такси подъехало к подъезду. Вот почему наблюдатели за домом не видели в этот день Снежану. А Глеб не мог понять, как такое могло случиться. Он-то знал, что она была в доме и отравила мамашу. Но самым ужасным для него стал факт, что отравительницей была Снежана.

Глеб решился идти ва-банк.

2

На похоронах матери присутствовала только Рита. О смерти приемной матери Снежана даже не догадывалась.

По словам Риты, она уехала на похороны сиделки Ляли, о которой так ничего до сих пор известно не было. Старуха все еще валялась в морге. И по всей вероятности, будет похоронена в общей могиле, как неопознанный труп. В морге Рита объяснила, что ее задержала срочная командировка. Похороны задержали. У этой женщины всегда были ответы на все вопросы.

Что касается сестры, то она резко пошла на выздоровление. И в ней произошли некоторые изменения, незаметные постороннему взгляду. Некоторые эпизоды из своей жизни она вспоминала чаще и относилась к ним с другим отношением, а то и с болью в сердце. Девушка наняла себе врача. Опытного психиатра из Института медицинской экспертизы имени Сербского. Рита отнеслась к выбору сестры как к капризу и особого мнения факту не придала. Тем более что он хорошо относился к близнецам и знал про них много смешных историй. Это веселило сестер. В его рекомендациях отмечалось: «Он никогда ни с кем не обсуждает болезни своих пациентов — за исключением консилиумов», «Всегда стоит на стороне пациента». Ну и в-третьих — молодой, лет сорока, семейный, высоко ценится среди коллег, трое детей и безупречная репутация. Этого набора вполне хватило. К тому же они мало зарабатывали и стать семейным врачом готов был каждый.

Рита к врачам относилась хорошо. Похоже, ее мучила совесть. Удивительный был мужик. Выдержать ведро помоев и лжи на суде и после всего этого промолчать. Тогда Роман получил шесть лет, а она по своей наивности рассчитывала года на три, но при этом сохраняла семью. Ничего не получилось. Тут еще муженек постарался. Приволок на суд приятеля-мента. Мол, в дом они зашли вместе и все видели. Добавили масла в огонь. Видите ли, он честь свою ментовскую защищал, о которой понятия не имеет. Да и повстречалась она со своим мнимым насильником раньше, чем с мужем. Слишком занятым оказался. Гранит науки грыз. Вот и выскочила за мента, назло всем. Себе в первую очередь. С тех пор прошло шесть лет, и жизнь перевернулась вверх ногами!

Похороны были нудными, но ритуал пришлось соблюдать.

Адвокат Якобсон, шедший рядом, продолжил неприятный разговор.

— Ваш муж Семен погиб загадочным образом. Напился и замерз возле дачи своего друга Юрия Ратехина.

— Царствие ему небесное. Так и не угомонился на старости лет.

— Связь слишком очевидна. Семен выкрал вашу дочь. Подробностей не знаю. Я говорил о том, что известно следствию. Авдотью он убил. Прямых улик нет, но найдутся. Тут мотив сыграет свою роль. Отец увез ее на дачу к Ратехину.

— Ляльку? Что с ней?

— Не кричите. На нас и без того все смотрят. Девочка провела у него две ночи, с пятницы на субботу и с субботы на воскресенье. Милицию соседи вызывали. В районе дач, в лесочке, и труп Семена нашли. Девушка была прикована наручниками к стойке стеллажа в подвале. Он голый, на ней одежда разорвана. Но чем-то она его шандарахнула. Вероятно, железкой. На его члене обнаружена вагинальная слизь. Изнасилование доказано. Пробраться к нему будет нелегко. Вы как мать можете требовать очной ставки. Только пользы она не принесет. Ему надо пасть заткнуть. Пусть будет месть за дочь. Главное, без доказательств.

— Где Лялька?

— Из СИЗО ее увезла неизвестная женщина, у которой даже документы не проверили. Не ваш ли ангел-хранитель суетится?

— Обоих подонков ждала плаха. Но не так же глупо? И кому это надо? — Немного подумав, она спросила: — Что с моей матерью?

— Орудие убийства не найдено. Удар тяжелым острым предметом по голове. Скончалась по дороге в больницу от большой потери крови. Но этот факт скрывали. Следователь хотел поймать убийцу на живца. Будто бы она жива и лежит в больнице. Труп поместили в реанимационную палату. Никто из посторонних не приходил.

— И не мог прийти, если убийцей был замерзший Семен. Меня другое удивляет. Ратехин все еще верил в наше будущее. Зачем он полез на мою дочь?

— Очевидно, уже не верил вам, если пошел на сговор с Семеном. Места там тихие. Девочку могли месяцами держать в плену.

— Плохо ты ее знаешь, Якобсон. Я больше поверила бы в историю, будто Лялька их держала на привязи.

Адвокат обернулся по сторонам.

— Согласен. Если у нее был хороший консультант. Если это спектакль, то сыгран по прекрасной партитуре без единой фальши. Пасьянс разложился идеально. Ратехину влепят лет пятнадцать. Но у вас еще врагов накопилось. Вы подмяли под себя весь рынок французских запчастей. Автомобили не ваш бизнес.

— Я читала твою черную бухгалтерию. «Рено» — одна из самых продаваемых машин. Французы у меня в кулаке и больше ни с кем на российском рынке торговать не будут. Тут их дурят. А я работаю по-честному.

— Твою честность ценят во Франции, но не Вадим. Ты начинаешь действовать ему на нервы.

Рита усмехнулась:

— Его дело молчать. Он помнит о втором завещании.

— Оно же блеф. Его не существует.

— Пусть рискнет это доказать. Дела у него идут плохо. Партнеры нервничают. Только Андрей мог держать фирму в руках. Вадим же перетянул все одеяло на себя. В большом бизнесе так дела не делают.

Якобсон опять оглянулся, словно их мог кто-то подслушивать.

— Оставь фирму в покое. Ты миллионерша. У тебя есть все и даже больше. Люди начинают от тебя отворачиваться. Где твой Кеша по кличке Смоктуновский? Парень неглуп. Уж он-то понял бы, кем была его партнерша. Он знает, кто твою сестру выкрал из клиники.

— Кирилл будет молчать до гробовой доски. Он моя собственность. Операция с подставной любовницей тоже его идея. Роль ему отводилась не маленькая. К тому же он нищий. Живет за счет моих подачек.

— Черт с ними. А сестра? Снежана только с виду выглядит дурочкой. А у нее прошлое побогаче твоего. Ты ей расколола череп, теперь убила ее мать, а потом...

— Если мы не станем одним целым, то я останусь одна. Снежана всего лишь зеркало, в которое мне изредка хочется заглянуть.

— Вы слишком разные, Рита. Целого не получится. Ты стоишь на краю пропасти и смеешься над собой.

Рита скрипнула зубами.

— В этом моя жизнь! Струсил? Вали. Я в тебе больше не нуждаюсь. Мавр!

Она села в машину и захлопнула дверцу.

Якобсон закончил фразу:

— Мавр сделал свое дело, Мавр может умереть.

3

Врач был опытным психиатром. Через его институт тысячи больных проходило. Не со всеми диагнозами он был согласен. Но существовало некое правило. Убийца должен получить пулю в затылок. Все! Здоров или болен, значения не имеет. А вот мнение обывателя, так называемой общественности, играло важную роль. Некоторые исключения приводили к самосуду. Когда одного педофила, душившего малолеток, признали больным, то мать одной из них встала, достала старый «наган» и выпустила в подонка все семь патронов. И что? Посадили-то ее.

Тут случай был не совсем обычным. Снежана встретилась со своим врачом в кафе, так как знала, что Рита все разговоры записывает. Здесь было тихо, уютно, Снежана выглядела приятной девушкой без перевязки на голове. Но что-то в этой голове сломалось. После удара по ней она видела жизнь по-другому. Это как девушка постоянно одергивает свою мини-юбку. Надень другую и не мучайся. Но можно легко переодеться, а вот душу не одернешь.

— Вам очень повезло. Сейчас вы практически здоровы. Обошлось без последствий.

— Это ваше мнение. Со мной все в порядке. Меня беспокоит моя сестра. Вы же человек наблюдательный

— Маниакальная шизофрения. Такой я поставил ей диагноз. Тут все в комплексе. Тяжелое детство, разгульная жизнь, вседозволенность без наказаний. По-русски это называется распущенностью. Преступники всегда рискуют. Они знают, на что идут. Либо ты в шоколаде, либо за решеткой. У Риты нет выбора. Она всегда идет на шаг впереди. Скорее это чутье, а не везение и математический склад ума. Она уже в своей доле. Преступление для нее не акт насилия, а обычная потребность. И чем дальше будут продвигаться ее успехи, тем более хладнокровно и жестоко она будет к ним подходить. Я не беру в пример Чикатило. Дурачку просто везло, и он постоянно менял точки налетов. В этом маньяки трудны для поиска. Рита делает все продуманно, намеренно, и, кроме результата, ее ничто не беспокоит. Многому она научилась у мужа. Он же был опытным сыщиком. Завалился на доносе. А это и есть случайность, ломающая принципы общего дела. Если Риту посадить в тюрьму, то блажь не покинет ее. Она будет совершенствоваться. За несколько лет она создаст десятки новых планов.

— Значит, она неизлечима? А что вы думаете о наследственности?

— Ничего не думаю. Область души мне не подвластна. Болезненная наследственность имеет место в природе. С другой стороны, я скажу вам так: в первом классе школы мы были все одинаковы. И во дворе жили нормально. Но я уже знал, кто будет отличником, а кто двоечником. Угадал. Трое из нас попали в тюрьму. Не вышел никто. Оказалось, что кто-то из родных этих детей сидел. Воспитывали их строго. Ремнями били. На окружающую среду не спишешь. У многих проявились таланты. Откуда у сына слесаря вырос прекрасный виолончелист? Тоже тайна. А у известного профессора, светила науки, сын превратился в законченного алкоголика. Я ставлю родителей на первое место. А там уж что Бог пошлет.

— Это и есть навязчивая идея. Она от рожде-

ния преступница. Однако не стала дурой, как ее
родители. Мать погибла при родах несовершеннолетней. Отец из тюрем не вылезал. Мы их никогда не видели. Зато много о них слышали.

— Человек прежде всего индивидуальность.
Одинаковых нет. Внешнее сходство еще ни о чем
не говорит.

Доктор глянул на часы.

— Жаль, но мне пора. Отсылайте меня чаще
к сестре. Сошлитесь на свою плохую память.
Я сам буду давать ей рекомендации по вопросам
лечения. Мне нужно общение с ней. И когда ее
нет дома, меня не вызывайте. Я должен стать вашим семейным доктором. Это сейчас в моде.

Он встал, поцеловал ей руку и ушел. Снежана
уставилась в окно на белоснежные улицы. Когда она повернулась, перед ней сидел красивый
мужчина с усиками, как у Кларка Гейбла. Он
улыбался.

— Вы о чем-то мечтали, и я не решился обо-
рвать столь приятные грезы. Оттого и сел, не
спросив разрешения.

— Сидите, сидите. Я уже ухожу.

— Минут через десять, если хватит терпения.
Ну где еще увидишь такую красоту. Это же настроение на целый день.

Снежана расплылась в улыбке. Наверное,
о таком принце она мечтала. И где тут справед-
ливость.

— Не хмурьте брови. Вам это не идет. Начну
с тайны, которая вам не безразлична. Я некото-

рое время работал в хирургии 68-й больницы. Хирург по профессии. Там я вас впервые увидел. Правда, вы были в повязке и не так красивы. Но ваш шрам на ноге я видел.

Снежана вздрогнула.

— Он меня ничем не испугал. Очевидно, попали в аварию лет семь назад. Уверяю, его под юбкой и чулками не видно. А если я даже его увижу, то не испугаюсь. У меня складывается впечатление, что мы не одну ночь проведем вместе, и о шраме никто из нас не вспомнит.

У Снежаны что-то сжалось в груди. Она готова была сразу же сказать «да», но сморозила глупость:

— Я не шлюха. С сутенерами не сплю. Зачем вам все это?

— Влюбился. С первого взгляда. Вы красивее всех мадонн, изображенных великими мастерами прошлого.

Снежана даже покраснела. Ничего похожего ей никто никогда не говорил. К тому же он сразу ей понравился.

Опытному Глебу и минуты хватило, чтобы он понял, что сидит перед ним не Рита. Та его тут же узнала. А потом взгляд. Рита ощупывала карманы клиентов, а эта смотрела ему в глаза и верила каждому его слову. Мало того, он видел шрам на ее ноге, который мог вызвать только отталкивающее впечатление.

— Как вас зовут? — спросила девушка.

— Глеб.

Обычный парень. А главное, в его глазах не было тяжести криминала, который невозможно спрятать.

— Меня зовут Снежана. Скажите, Глеб, я вам для чего-то нужна? Может, надо вскружить голову приятелю или деловому партнеру? Я это умею. Я многое умею, о чем вам лучше не знать.

Подошел официант, и Глеб заказал шампанское и шоколад.

— Я тоже думал, будто вы мне для чего-то нужны. Нет, конечно. Искал повод с вами познакомиться. Я еще в больнице в вас влюбился. Но мне сказали, будто вы не выживете. Аж слезы на глазах выступили. Вы верите в первую любовь? С первого взгляда.

— Начинаю верить. Но моя нога...

— Забудьте о ней. Несколько хороших пластических операций, и вы забудете о шраме. Вот чего я терпеть не могу, так это разлуки. Готовы на подвиг?

— Все, что я в жизни делала, на подвиги не похоже.

— Мы сегодня не прощаемся. Из этой богадельни поедем ко мне домой, и ты останешься на ночь. Я жажду тебя обнять и прижать к сердцу. Думаю, что у нас все получится. И мы не будем жалеть ни о чем.

— И я так думаю, — уверенно произнесла Снежана.

Глеб уже сотни раз проворачивал свои фокусы и всегда выигрывал, если не нарывался на шлюху. Рита тоже скрыла от него свою суть. Ей просто захотелось отдохнуть и ни о чем не думать. Правда, она все же воспользовалась сывороткой правды, но мужик и без того был болтлив. Она решила его сдать Ратехину, которого несколько месяцев держала на голодном пайке. Хоть какая-то компенсация.

Сейчас, глядя на Снежану, ему показалось, что скорее она себя подставит под удар, а его выручит. В любом случае она ему нравилась. Глеб не ошибся. Они провели двое суток в его доме и даже времени не заметили. Может, он и впрямь встретил свою первую любовь. О Снежане и говорить не приходилось. Девушка парила на небесах.

4

Зачастил крестный к крестнице. Но глаз Маши стал недобрым. Она не верила людям отца и знала, что кто-то из них положил его в могилу. И опять Вадим у порога, еще с тортом и коньяком.

— Мне бы с твоим Кирюшей поболтать.

— Поболтай, коли надо. Но пробу с угощений я первой снимать буду.

Из ванной вышел Майский в махровом халате.

— Чую, так просто вы от меня не отлипнете. Проходи, садись, выкладывай, что нагорело.

Немногословный Вадим положил паспорт на стол.

— Мы тут одного прохвоста убрали. Слишком

много воровал. А в кармане у него нашли паспорт на имя Романа Заболоцкого. Дело второпях произошло. Зэк у зэка ксивы не ворует. Себе дороже станет. Паспорт Заболоцкого новенький. Только из зоны вернулся. А подбитый хрен уже пять паспортов поменял. Он человек со связями. Когда-то на нас работал. Есть, точнее, был некий авторитет Афоня Березанцев. Менты документы и вещдоки по отпечаткам определили. Этих двоих ничего не связывало. Березанцева грохнули свои. Но Роман ничего об этом не знает. Просто сделал из себя труп, а с чистым паспортом решил погулять. Знал бы, с чьей ксивой гулять решил. Менты пошли на хитрость. О гибели Афони промолчали. Он у них в морозилке греется. А вот на Романа Заболоцкого решили выйти. Парень-то исчез. Вышел из зоны и как сквозь землю провалился. Квартиру продал. Регистрации в Москве не имеет, однажды лишь за своим паспортом приходил. Он не опасен. Отсидел шесть лет за изнасилование. Никак на дно лег перед крупным делом.

— К чему мне эта история? Он угрожает Снежане?

— Ты мне это говоришь как телохранитель Снежаны? Ее час настал. Ты эту бабу не спасешь, даже если в могилу зароешь. Говорю с тобой откровенно, зная, что ты не из болтливых.

— Начнем с того, что ты обо мне ничего не знаешь, кроме адреса, по которому живет твоя крестница. Я уже думаю, навсегда.

— В личные дела я не лезу, — Вадим достал из кармана дорогую бутылку виски. — Нам не повредит. В моей головоломке много коряг. Я ведь пришел за советом.

Кирилл поставил стаканы на стол. Выпили немного.

— Мне позвонил Якобсон. Странный звонок. Обычно мы игнорировали друг друга. Бухгалтерия меня мало интересовала. К сожалению. Дела пошли хуже, если не назвать их крахом. Я не Андрей. Это у него все получалось.

Разговор о Якобсоне был коротким.

— Снежана хочет забрать фирму себе. И она ее получит, если перед судом откроет восемь томов черной бухгалтерии. Ее муж был обманут, а затем убит. Веские доказательства при наличии документов. Якобсон догадывается, где книги. Он сам их составлял. Мужик отошел в сторону. Нервы не выдержали. Хочет сухим выплыть из воды. Мне на него плевать. Но бухгалтерия — настоящая бомба.

— И ты решил во мне искать помощника?

— Есть некоторые основания.

Он достал из кармана завещание на дочь Андрея.

— Оно цело. Якобсон сказал Снежане, что все документы сжег. Эта бумажка весит сотни килограммов валюты. Тем более тебе с новой пассией не на что жить. Это ваш шанс. А теперь я тебя немного удивлю. В то время, как Снежана прощалась с матерью в морге, другая ее копия встречалась с психиатром в тихом кафе. Мало того, после ухода врача она познакомилась с эдаким плейбоем. Парень хорош, уломал ее за семь минут, после чего она поехала к нему. В это время за ними наблюдал Роман Заболоцкий. Краткая его история. Отсидел шесть лет по обвинению в изнасиловании жены майора милиции Семена Пекарского. Тот даже на суд приволок свидетеля — капитана Юрия Ратехина. Никакого изнасилования не было. Маргарита Пекарская постоянно встречалась с Романом Заболоцким много лет. Успешный врач, интеллигент. Можешь назвать это любовью. Она просто струсила перед нажимом мужа. Может, он решил отомстить обидчице за сломанную жизнь. У него есть свои счеты к его жене. В итоге Пекарского выгнали с работы, а потом и вовсе посадили. Анализы показали, что Пекарский бесплоден. Так что Ляля может быть дочерью и Романа Заболоцкого. Вот снимки.

Вадим выложил на стол фото с похорон и снимок из кафе, где Снежана болтала с красивым парнем с усиками.

— Все это происходило в одно время. Снежана разделилась на две части и уехала в разные места. Вряд ли они знают об этом. Снежана лишь недавно узнала о смерти матери. В чем-то я вижу разлад между сестрами. Но раньше... Одно убийство Андрея чего стоит. Я так бы его и не разгадал, не увидев двойняшку. Понятно одно. Есть заводила, и есть покорная слуга. А теперь вопрос на засыпку. Пару дней назад нашли в лесу замерзший труп Семена Пекарского рядом с дачей ее старого друга Юрия Ратехина. Соперника, солюбовника, как хотите называйте его. Дело ведет областная прокуратура. От них многого не узнаешь. Но есть факты. Пекарский убил бабку Ляли, вывез саму Лялю обманным путем на дачу Ратехина. Происходило это в пятницу. В воскресенье приехала полиция. Девочку изнасиловали. Анализы подтвердили этот факт. Он держал ее на цепи в подвале, но она ухитрилась огреть его по башке, а потом подняла крик. Это все. Из милиции девочку забрала посторонняя женщина. Приняли ее за мать. Даже документов не спросили. Уехали в неизвестном направлении. Ее больше нет. В школу не ходит. А дочерью она является, если верить документам, Семена и Маргариты Пекарских. У Снежаны детей нет. Я думаю, Кирилл, Рита от всех избавится. И от меня, и от тебя.

— Ее другие враги интересуют. Вышедший на свободу Роман Заболоцкий. Это он подобрался к ней ближе всех. А надежного слугу Юрия Ратехина посадят по статье, по которой и Роман сидел. Лет на пятнадцать потянет. Шумиха вокруг оборотней в погонах добавит ему еще пяток лет. Достойная месть, — злобно добавил Кирилл.

— По твоим словам выходит, что Лялька его сообщница. Ей еще и пятнадцати нет. Она пойдет против матери ради ее старого любовника? Я хочу сказать тебе следующее, Кирюша. Со мной ты тягаться не станешь. Проиграешь в тот же момент. Кого из сестер ты возьмешь под свою защиту, не знаю. Рита едва не убила Снежану, а потом прикончила ее мать, и сделала это намеренно. Она знала, что за ней наблюдают, и потому налепила шрам на ногу, а наколку Снежана носит на плече чуть ли не со дня их знакомства. Снежана во всем подражает сестре. Это уже один человек. Но я знаю, как их различить. И думаю, что лучше меня это сделает Роман Заболоцкий. Он со своим дружком уже взялись за Снежану. Мешать я им не намерен. Вопрос стоит просто. Либо она нас всех завалит, либо мы ее. Но с такой стервой надо воевать командой. Спецназом. Яков Михалыч Якобсон успел переслать мне лишь завещание Маши. Оно в силе. Но Рита о нем даже не вспомнила. Он струсил и решил бежать. Назначил мне встречу, чтобы передать книги по черной бухгалтерии. С этими книгами я выиграю любой процесс. Там нет ни одной моей подписи. Только Андрей и Якобсон подписывали бумаги. На встречу я приехал. Якобсон лежал на полу с дыркой во лбу. Рита меня опередила. О Снежане я и думать не хочу. Она уже возненавидела сестру. При удобном случае она ее подставит, убьет и с ее паспортом смотается в Париж. Что касается меня. Рита не остановилась на живых миллионах Андрея. Теперь она хочет получить всю фирму, в которую я вложил двадцать пять лет жизни. Столько же вложили и партнеры. Любая насильственная смерть бросает тень на нас. Она так и указала в своем завещании. Наша команда против Марго. Ты тоже стал лишним. Слишком много знаешь. А если ей станет известно, что ты сошелся с дочерью Андрея, то вам и дня не прожить. Сейчас она стала подслеповата. Не зря же Роман Заболоцкий убрал Юрия Ратехина из ее команды.

— Ты все еще веришь в мифического Романа и его приятеля, который охмурил Снежану за семь минут? — удивился Кирилл.

— Верю. Если это не делал ты и мои люди, то больше некому. Марго не стала бы подставлять свою дочь.

— Но Лялька не пойдет против матери!

— Она пошла против отца, убившего ее бабку. Другое дело — хорошо спланированная акция. Тут все продумано до мелочей. Даже вагинальные выделения на члене подполковника. Я, конечно, понимаю, что Ляля уже не девочка. Мои люди ее засекли с мужиками. Крепкая телка. Но план не для ее мозгов. Если она встанет на сторону Романа, а Снежана сойдется с плейбоем из ресторана, то у Марго останутся только враги. Я, ты, Маша, Снежана, Роман, его друг, дочь.

— А нужен-то один лишь точный выстрел.

— Нет, тогда погорю я. У нее в сейфе лежит еще одно завещание. И там она написала правду. Очень хитрый вымысел, похожий на правду. Вроде бы как Андрея убил я с помощью его бывшей любовницы. И при этом куча доказательств.

Кирилл промолчал. Он знал все тонкости операции и сам принимал в ней участие. А значит, подставлял себя. Марго продумала все в деталях.

— Я с тобой, Вадим. Ты прав. Следующие в списке мы.

— Скажу хуже. Она попытается обработать моих партнеров. Хотя бы одного, пообещав ему место генерального директора. В одиночку ей с нашей командой не справиться.

— Я попробую найти Романа и его дружка. Может, сговоримся.

— Снежана тебя к нему приведет. Если только Марго нас не опередит. Для нас Снежана темная лошадка. Можно больно споткнуться об этот камешек. Ладно. Мне пора. Завтра продолжим наш разговор. На данный момент мы не стронулись с мертвой точки.

5

На третий день Глеб решил сделать сюрприз Роману. Точнее, не ему, а его подружке. Сейчас он со Снежаной был уже в тех отношениях, когда они могли говорить друг другу все. Он же прикусывал язык в ответственный момент. Ему стало понятно, что женщина в него влюбилась. И это походило на первую невинную любовь, если не учитывать ее сумасшедшую страсть. К его огорчению, он тоже заметил свое неравнодушие к Снежане. Она была вылитой Ритой, от которой он в свое время сходил с ума. Но Снежана оказалась совсем другой женщиной. Нежная, ласковая, и смотрела на него, как на Бога. О ее шраме на ноге он даже не думал. Девчонка потеряла голову. Она не думала ни о времени, ни о сестре, ни о доме, ни о матери. Открыв дверь своей квартиры в Кузьминках, Роман немного обалдел. Перед ним стояли Рита и Глеб. Куда ее привезли, она не знала, но, войдя в квартиру, Алена увидела свою мать и чужого мужчину.

— Ты меня продал этой стерве! — Ляля схватила сковородку и хотела огреть Романа по голове, но тот увернулся и схватил ее за руки.

— Я тебя не продавал и никому продавать не собираюсь. Но мне показалось, наша гостья видит тебя впервые в жизни. А ты ее уже матерью нарекла.

Глеб усмехнулся, а девушки стояли в полной растерянности.

— Меня зовут Снежана. Я близнец твоей матери. Она права. Ты и впрямь на меня похожа.

— Зачем вы ее привели? — кричала Ляля.

— Сейчас разберемся, — сказал Глеб. — Только надо как-то по-человечески, с закусочкой.

Роман также был удивлен визитом. Но больше всего его интересовала Снежана. Они же разные, подумал он. Значит, Андрей не общался со Снежаной. Он тут же почувствовал бы разницу. Рита держала ее на расстоянии. Ходячее алиби. Но теперь, когда она прижата к стенке, Снежана становится ненужным свидетелем.

Девушка вела себя спокойно. Она присела на стул и обратилась к Ляле:

— Скажи мне, милая племянница, а что плохого тебе сделала мать?

Ляля насторожилась. Голос другой, и она не психопатка, как мамаша.

— Это ты мне скажи, тетушка, что ты против нее имеешь? Один из этих типов затащил тебя в постель. Я вижу, как ты на него смотришь. Второго я затащила в койку. Для вида он даже побрыкался. Зато во сне меня обнимает, будто я для него чего-то значу. Блажь мне в башку ударила, влюбилась. Да и ты тоже. А теперь скажи мне, на кой черт мы им понадобились? Все пути ведут к Рите. Та еще стерва. Ей нищие на паперти спасибо не говорят и век молиться за нее не обещают. От нее сатаной за версту несет. У меня свои счеты с матерью. Я за всю жизнь не так уж часто ее и видела. Да и то в полудреме, а утром новую куклу в постели находила. Я лет с восьми в куклы не играю. Этот чудик мне случайно под руки попался. А своего ты где подцепила?

У Снежаны мороз по коже пробежал. Она вспомнила встречу с Глебом. И точно. Чуть ли не сама затащила его в постель. Сказочный мужик, и это после жизни с уродливым отцом. Она уже решила, что никогда с мужчинами дел иметь не будет. А этот ее заворожил. Другого определения не подберешь.

Заговорил Роман:

— Маргарита Пекарская по ложному обвинению посадила меня в тюрьму на шесть лет. Лишила меня карьеры. И даже матери. Пусть не прямым путем. Теперь я бомж, живущий по чужим документам. Рита по жизни шагает по трупам, и ей на это наплевать. О ее сестре мы ничего не знали. Глеба она тоже пыталась посадить. Так, ни за что. Задолжала подполковнику Ратехину и решила ему сдать рецидивиста. Он часто ее выручал, а она его. Эту парочку надо было разбить. Рита должна оставаться в полном одиночестве. Вот тогда с ней можно справиться. Ради собственного наследства она сестрой пожертвовала. К счастью, Снежана выздоровела. Рита интересуется только своими делами.

— Она больна. Ее лечить надо, — вмешалась Снежана.

— Рита давно раскусила твой ход, Снежана. Ты ей хочешь подсунуть опытного психиатра. Что же, она пойдет у него на поводу. Даже в больницу ляжет на обследование. Рита женщина дальновидная. Она даже в институт Сербского попадет не по направлению из суда, а по рекомендации авторитетного помощника. И что в итоге? Выйдет со справкой сумасшедшей, которую прибережет до суда. А суд ее дважды проверять не будет.

— У вас извращенный ум, — брезгливо сказала Снежана.

— Нет. Я научился мыслить ее категориями. Вы знаете, лопату на крыше и замок на двери соседнего подъезда я нашел задолго до полицейских. Она каждый день проходила мимо квартиры дочери и ни разу не заглянула в нее.

У этой женщины своя собственная жизнь. Если что-то не затрагивает ее планов, она этого не видит.

— У каждого из нас есть свои интересы. И каждый добивается их своим путем, — огрызнулась Ляля.

— Твои методы не отличаются от маменькиных, — ухмыльнулся Роман. — Ты ведь тоже хотела посадить меня за изнасилование.

— Значит, ты сидел за то, что трахал ее! Сучка! Ну надо же, а достался ее дочери, на двадцать лет моложе и в сотни раз лучше. Красивая месть.

— На данный момент я ее не интересую, и вряд ли она знает, что я уже на свободе, — продолжил Роман.

— Плевать, сочтемся. Вы тут с бабами развлекаетесь, а новостей не слушаете, — продолжала Ляля. — Вчера убит адвокат Яков Михайлович Якобсон. У него пропал портфель с документами. Почерк знакомый. Выстрел из «ТТ» в затылок. Я уже видела, как она умеет стрелять. Бандитский пистолет, грубая работа, на такое способны только отморозки. Почерк примитивный. Однажды она купила у китайцев целую партию таких пушек. В этом вся путаница.

— Она не могла его убить, — уверенно заявила Снежана. — Этот тип ей всю кухню фирмы по полочкам разложил и обо всех махинациях Андрея рассказал, о чем партнеры даже не догадывались. Его вообще никто всерьез не воспринимал, кроме Риты.

— Стало быть, старик выдохся, — комментировал Глеб. — Он сделал все, что нужно, и она его уничтожила. А значит, речь теперь идет о фирме. Но с такой бандой ей не справиться. Тем более что Ратехина больше нет, и Якобсон ушел в могилу. Ей нужен хороший ход. Поссорить партнеров. Тем более дела фирмы расползаются по швам. Ну, а прикрытием будет Снежана. Только на этот раз она не выживет. А еще пора бы ей подумать о дочери. Девочка исчезла. И она может выйти на наш след.

— Сейчас ей все мешают, — добавил Роман. — Но надо лишить ее главных преимуществ. Второе. Все делают то, что она хочет. И мы тоже в свое время от других не отличались. Нам надо навязывать ей свои условия. Такие, от которых она не сможет отказаться. Она должна играть по нашим правилам, будто они ею придуманы.

— На словах красиво. А ты попробуй сделать, — усмехнулся Глеб.

У Снежаны из глаз полились слезы.

— Что за истерика?

— Никуда я тебя не отправлю. Теперь ты принадлежишь мне.

Леля даже возмутилась.

— Вот от этого дундука таких слов не услышишь! — она ткнула пальцем в Романа. — Но ничего! Я цепкая. Да и не умеет он таких слов вслух произносить. Он о них лишь думает.

Глеб улыбался и завидовал. Подвернулась лоху красавица, эдак лет на двадцать моложе матери, но еще красивее. И видно, подцепил он ее крепко. Но и Глеб в обиде не остался.

6

Исчезновение дочери и смерть домработницы Рита расценивала как ловушку. Скорее всего, ее устроил покойный ныне Семен. Только с его тупостью можно пойти на такой риск. И уговорил его на это Ратехин. Еще один придурок, наворовавший кучу денег, решил ее купить. А вот в историю с изнасилованием она не верила. Эту сцену репетировали умные люди. Те, кому Ратехин мешал. Но почему Лелька пошла на подобную аферу? Ратехин мог убить подлеца и вернуть дочь матери — комбинация простенькая. И все-таки нет. Скорее всего, он не успел бы спасти девчонку. Если он рассчитывал жениться на Рите, ему не нужна была падчерица, да еще с таким характером. Без нее спокойней. Вопрос в другом. Ради чего Лелька пошла на такую выходку? Деньги у нее есть, и достает она их легко. Глупость? Да она сама оставит в дураках кого хочет. Тут есть какой-то секрет... Рите удалось Снежану разложить как карточную колоду. С дочерью у нее ничего не получилось. Слишком редко они общались. И последний вариант. Из тюрьмы мог выйти Роман. Но она его не видела. Мало того, не верила в его злопамятность.

И при чем здесь Лелька? Он пошел бы другим путем.

Наконец она дождалась своего гостя. Пригласила его на старую квартиру, где давно не жила, но деньги платила за нее аккуратно. Гостем был один из директоров фирмы. Самый строптивый и недовольный положением дел. Звали его Севой Артамоновым.

— Ты один? — спросила Рита.

— Так, как ты и просила.

— Хорошо. Водку потом пить будем, а сначала о деле. — Она усадила его в кресло. — Вадим больше не может управлять фирмой. Я в нем ошибалась.

— Но при чем здесь ты?

— Андрей написал завещание на мое имя. Фирма принадлежит мне. Я ее переписала на Вадима. Если он умрет, то фирма вернется ко мне. Формально. Доходов я брать не буду. Но директором назначу тебя. У тебя самая сильная команда среди партнеров. Убрать придется несколько человек сразу. И лучше в один день. У меня алиби будет. Позаботься о ребятах и их языках. Утечка информации может стоить нам жизни. Вся власть тебе. Согласен?

— Я должен видеть завещание.

— В свое время увидишь. Мне нужно твое согласие, или я передам бразды правления более покладистому парню.

— Согласен. Но для такого дела нужен серьезный план.

— План всех убить. Шесть снайперов — наш план. Вот тебе список тех, кого ты должен убрать из своих.

— Тут их четверо.

— Двоих добавлю позже. Это те, кто мне мешает. А вопросов по четырем у тебя нет. Они давно уже живут на подачках Вадима и, если что, первыми нас заложат. Все должно пройти тихо и незаметно.

— Чем же вас адвокат Якобсон не устроил? Человек с головой, наставник. Так его Андрей и называл.

— Согласна, Савелий Егорыч. Но если все документы подписаны Андреем и Яков Михайлович придаст им гласность, то фирму вовсе уничтожат. Государство не даст мне за нее ни одной копейки. Восемь томов подписей, сделанных кровью. Вот почему Якобсон держался за Андрея, а тот за него. Теперь эти документы пойдут в суд либо в печь. Второе предпочтительнее. Они работали по примитивной схеме. Но это не все. На каждого из вас заведено досье от дня рождения до количества ходок в зону и по каким статьям.

— За палочками и другие охотники найдутся. Не страшно.

— Это Андрею было страшно, пока я лежала в больнице. В случае моей насильственной смерти папки и завещание попадут в руки журналистов и прокуратуры. Одна я не сумею изъять документы из сейфа. У меня даже ключей нет.

— Я отдал фирме всю сознательную жизнь. Судимости с меня списали. Я солидный бизнесмен. И что я в итоге слышу? Никаких бумаг не подписывал.

— А к вам нет претензий, Савелий Егорыч. Фирма аннулируется, а сотни опытных мастеров остаются на улице без работы. Вот и вся присказка. Я очень богатая женщина. Мне на жизнь хватит. Не обо мне речь. Я думаю о деле Андрея, который вложил в него не меньше вашего. Просто время от времени нужно проводить чистки. Сейчас это время пришло. Накал страстей чрезвычайный. Надо вернуть все в свое русло.

— Понял, понял. Я не из бестолковых. Дайте мне план, и я его исполню. Только с вашими вывернутыми мозгами можно находить выходы из подобных положений.

— Я вам все сказала. Шесть снайперов с лучшими винтовками. На следствие и почерк мне наплевать.

7

Сюрпризы бывают разные. Теперь Рита ездила под тройной охраной, причем все головорезы были из команды Савелия. Она не задерживалась на одном месте, ни с кем не общалась, и тут — нежданчик. В ресторане «Русская изба» она встретила всех и сразу. Они пили, веселились и, похоже, не обратили внимания на вошедшую даму, которая теперь носила вдовий наряд. Но это из-за шляпы и вуальки, прикрывающей ее глаза. Сейчас к ней никто не приставал. Вид у дамочки неподходящий. Можно лишь поражаться ее решительности. Она сама подошла к столику веселой компании.

Тамадой был Глеб Накатный. Она была уверена, что этот тип давно валяется на нарах. Не тут-то было. К тому же он нежно обнимал Снежану, а та прибалдела от счастья. Трое суток она потратила на поиски сестры и дочери. Пропали. Как сквозь землю провалились. И вот они здесь! Достать бы пистолет и перестрелять всю эту свору. Но Рита не носила с собой оружие. Любой мент мог заглянуть ей в сумочку или под подол. Именно так. За три дня на Петровке собралось больше двадцати заявлений от обчищенных клиентов. Многие с фотографиями. Ее спасал лишь паспорт Снежаны, к которой до сих пор никто претензий не имел. Свою дочь она не сразу узнала. Вместо школьного коротенького платьица на ней было вечернее из вишневого шелка. Она не выглядела девочкой, а скорее походила на начинающую шлюху с большим будущим. Ее портил лишь избыток нежности на лице. Она прижималась к интересному мужчине с проседью. Его она тоже узнала. Впрочем, Романа Заболоцкого она никогда не забывала. Он все еще жил в ее сердце. И, наконец, третья пара. Ее верный слуга Кирилл Майский и тоже с девицей. Ее она узнала по фотографии. Это дочь Андрея Маша. И, похоже, они тоже неравнодушны друг к другу. Седьмым сидел старик.

Милый дядечка, похожий на профессора, с бородкой и тяжелой клюкой с серебряным набалдашником.

— Кажется, вы все меня искали? — ухмыльнулась Рита. — Ну, я пришла, что скажете? И как вы отсюда выходить собираетесь?

— Твоих халдеев, дорогуша, уже взяли в оборот сыщики моего друга. Они сидят в полицейском «уазике», — улыбчиво начал старик. — Так что о выходе мы еще подумаем. Кому выходить, а кому оставаться.

— Он для тебя староват, — бросила Рита дочери.

— А для тебя был слишком молод? Ты посадила его на шесть лет взрослеть. Вот и я повзрослела. Теперь он мой муж. Я принесла в загс справку о беременности и о том, что мне нельзя делать аборты. Нам пошли навстречу. И я очень счастлива.

— Уродов рожать? Он же твой отец. Степан оказался бесплодным, а я уже ходила на втором месяце. Вот и выскочила за кого попало.

Ляля вздрогнула и едва не заревела.

— Не слушай ее, — добавила Снежана. — История взята из моей жизни. Я и вправду жила со своим отцом. Вот только не знала об этом, а потом он повесился.

— Ну а тебе, Кирюша, чего в жизни не хватало?

— Справедливости. Ты жируешь, а настоящая дочь Андрея нищенствует.

— Все проблемы с наследством не можете решить? Так завещания уже нет.

— А ты его видела? — спросил Кирилл. — На Якобсона понадеялась. Он его не сжег, а вернул дочери.

— Браво. Значит, твои дела пошли на поправку. Мечтатели. Ну, а что тебе от меня нужно, Ромочка? Ты же самый чистый в этой банде недоносков.

— Справедливости. Вот только решетка тебя не спасет. Ты должна сдохнуть, если не успеешь сбежать в Париж. Правда, и там полиция не спит. Провели эксгумацию трупа твоего последнего мужа. Он был отравлен. Сейчас будут делать эксгумацию Андрея и его любовницы. Думаю, они были отравлены одним ядом, а потом добиты.

— А я не замужем. Замуж во всех случаях выходила Снежана. С нее и спрос. Это ее мужья гибли. Или умирали своей смертью. Следов яда в крови не осталось. А Глеб нашел мне замену. Вот только с уродливой ногой. Но под одеялом не видно. Квалифицированный вор, гений, а вечно сыпется на бабах. У нас с сестрой одна кровь. Не споткнись. Это сейчас она балдеет от счастья. У нее за всю жизнь нормального мужика не было. Но природа возьмет свое. Однажды ты не проснешься. Приятно было всех вас увидеть. Я постараюсь, чтобы и могилки вам вырыли в один ряд. Семейный погост.

— Значит, Париж тебя не устраивает? Продолжишь воевать? — спросил Матвей.

— Так уж на роду написано. Не огорчайтесь. Я не жилец. Мое место в преисподней.

Рита медленно направилась к выходу. Она кипела от злости. Каждый из них, кроме старика, выполнял ее волю, все они пресмыкались перед ней. Кирилл даже принимал участие в убийстве Андрея. Пусть косвенное. Главные роли Рита отводила себе. И что она видит? Кучку сумасшедших слуг, готовых потягаться с ней силой. Дочь она никогда не любила, а теперь возненавидела эту змею. Кто мог подумать семь лет назад, что эта соплюшка влюбится в ее же любовника. Нет. Сговора у них не получится. Они слишком разные. Обстоятельства вывели их на одну дорогу. Но тропинка кривая, и куда ведет, неизвестно. Их надо уничтожить. И как можно быстрее. Только не Снежану. Кто-то должен сидеть за нее в тюрьме, если такое случится. Или в психушке.

Ее телохранителей выпустили из автобуса и даже вернули им оружие. Хитрецы, подготовились. Но и она не лыком шита.

* * *

Разговор был самым обычным. Рита не пыталась его соблазнить. Но она видела, как он ее осматривает.

— В принципе я согласна провести у вас курс лечения. Сама чувствую, мозги набекрень съехали. Одно условие. Ночевать я должна дома. Приходить в больницу буду раньше нянечек. Моего отсутствия никто не заметит. Такое возможно?

— Да. Через мой кабинет. Там есть старая дверь, ведущая в корпус, находящийся на ремонте. Ключи я могу подобрать.

— Идеально. Там и одежду можно прятать. После вечернего обхода я ухожу, а к шести утра возвращаюсь.

— Вопрос в другом. Через ворота вас не выпустят.

— Сделаем лазейку в заборе. Не все так сложно, как кажется.

— Мне понадобится убедить руководство положить больного не из числа подследственных. Впрочем, я думаю, проблем не будет.

8

Работа Вадима ничем особенным не отличалась. Война была второй его профессией. Он знал главное. На сделку с Ритой мой пойти только Савелий. И если она ему спела те же дифирамбы, что и ему в свое время, то уложила его на обе лопатки. Вопрос второй. Савелию понадобится оружие, и он приблизительно знал класс винтовок, подходящий для работы. Тут понадобились деньги. Информация такого порядка дорого стоила. Но не дороже жизни. Убирать будут шестерки, не считая старика. Со старым авторитетом связываться не станут. И человек трех-четырех он уберет из своих. На всякий случай, чтобы круги по воде не пошли. Сама же Рита, как правило, исчезала. У нее, как всегда, будет железное алиби.

Наступила зловещая тишина. Как это ни странно, первой жертвой стал Роман. Бронежилет не помог. Снайпер стрелял в голову. Винтовки выбраны уникальные. С такими и на танк пойдешь. Адреса все проверили. Вычислили лучшие места для снайперов. Вадим лично принимал участие в операции. Он спрятался в трех метрах от стрелка. Как только тот взял цель, Вадим его уложил. Причем он пользовался пистолетом, оставленным в наследство сыну от матери Романа. Оружие попало в руки Риты случайно, но это отдельная история. И все же пушка выстрелила. Не зря мы о ней писали.

Вадим сказал:

— Этот гад успел нажать на курок. В точности я сомневаюсь. Но надо проверить. Труп в машину и в лес. Там для стрелков вырыты могилы. Как говорила Рита, «семейный погост». Судя по всему, сейчас ей нужна дочь. Следующей будет сестра.

— Бригада уже на месте, шеф.

Он передал никелированный «вальтер» помощнику.

— Езжай, ты успеешь. Снежана с Глебом вернутся в два ночи. Время мы распределим по минутам. А жмурика с чердака в машину.

Работали слаженно и быстро.

* * *

Снайпер промахнулся. Пуля в затылок сбила ему прицел. Однако Роман был ранен. Касательно. Порвало одежду и поцарапало грудь. Лечил он себя сам. На это сил у него хватило. Лялька сидела рядом и ревела.

— Я убью эту суку!

— Не вздумай из дома выходить и дверь открывать, — приказал Роман. — Она ведет охоту за тобой. Ты ей нужна живой. Скорее для анализа ДНК. Теперь ей придется доказывать, что она не Снежана, а все аферы проворачивала сестра. И свадьбы, и смерть мужей — дело рук Снежаны, а потому сестра тоже нужна ей живой. Остальных в расход. Завтра же в газете должен появиться некролог о гибели Романа Заболоцкого.

— Ничего не выйдет. Менты уже давали такой некролог. Рома живет по паспорту Никиты Корзуна, — заметила Ляля. — Но и слухов достаточно.

— Ладно. Используем сарафанное радио.

9

Следующий выстрел также не достиг своей цели. На этот раз снайпер метил в Глеба. И опять пуля от «вальтера» застряла в оконной раме, не достигнув цели. Глеб успел затащить Снежану в квартиру и запереть дверь. Тут же зазвонил городской телефон. Глеб снял трубку.

— Твой ангел-хранитель звонит. Жив?

— К твоему удивлению, да. Дом обложен снайперами.

— Мы их всех вычислили и знаем, кому Сева раздал винтовки. Работаем на опережение. Однако Романа ранили. Марго нужны живыми дочь и сестра. Так мы решили, что следующим будешь ты. Теперь она хлопнет Машу, дочь мужа (у нее завещание), и предателя Кирилла. Их мы спрятали. Но все относительно. Ваших адресов она тоже не знала. Ей кто-то помогает. Человек со связями.

— Таким человеком может быть англичанин Стайкер. Следующий кандидат в мужья. Во Францию она не вернется. Фирмы «Рено» и «Пежо» уже проданы. Правда, у нее остался загранпаспорт с визой на имя Снежаны. Но в розыск на нее никто не подавал. Ни мы, ни французы. Интерпол будет месяц искать подтверждения фактам и только потом объявит ее в розыск. У англичанина в собственности несколько островов в Тихом океане. Дяденька не бедный. Поняв, кто он, Рита не стала его обкрадывать. Она поступит с ним как с Андреем. Пышная свадьба, а потом труп. И вот что главное. У нашей полиции нет на Маргариту Пекарскую никаких дел. Она чиста перед законом. Но Снежана может открыть рот. А посему ее надо убрать. Ты и Глеб лишь помехи. Проходной материал. Человек трех Сева уничтожит из своих же. Тех, кому он не доверяет. Другими словами, война началась. О победе речи нет. Надо выстоять. Пока все живы, кроме двух стрелков. Я их вычислил без труда.

— Что делать-то?

— Затихнуть. Мы должны ее найти. А пока что вся наша компания у нее на ладони. Терпи.

В трубке послышались короткие гудки. Роман простоял еще минуту и потерял сознание.

Ляля с трудом его раздела, обмыла раны, взяла саквояж и перебинтовала его. И откуда взялось столько нежности в грубой неотесанной девчонке. С трудом она перетащила его на кровать. Да, силенок в ней не хватало.

Минут через десять Роман заснул. Ляля вернулась к саквояжу. Там на дне лежал еще один странный листок: «Купчая жилплощади в г. Москве», и там же ключи нашла. Удобное местечко. Она ни разу не заглядывала в саквояж. Хотя квартиру обыскивала сотни раз. Теперь она уже знала, что живет с Романом Заболоцким. Бывшим любовником своей матери, которого она посадила на шесть лет ни за что. Ничего кроме злобы к матери эти детали в дочери не вызвали. А сегодняшний выстрел довел ее до решительных действий. Мать не даст им ни одного дня прожить спокойно.

Ляля запомнила адрес, взяла ключи и вышла из дома. Хитрости ее никто не учил. Скорее сработал инстинкт, а может, наследственность.

Она надела короткую шубку из песца, белые кожаные сапоги без каблуков и через чердак перебралась в другой подъезд. Так же делала ее мать, но Ляля не знала об этом.

Через десять минут она ехала уже в автобусе к метро. Путь оказался не длинным. От Кузьминок до Марьино недалеко. Никаких машин, только верхним транспортом. На всякий случай она зашла в подъезд соседнего дома и переждала полчаса. Бегать от слежки она не умела, но знала, что за их домами наблюдают. Хуже всего то, что Лялька не понимала планов Риты. Мать всю жизнь оставалась для нее загадкой. В детстве она ей очень нравилась и Ляля пыталась ей подражать. Но однажды она увидела, как Рита хладнокровно убила человека. На обрыве у Москва-реки за Серебряным Бором, куда они уехали на пикник. Рита подвела подругу к обрыву и просто сбросила ее. Внизу метрах в двадцати лежали огромные валуны. Женщина разбилась насмерть. Рита спокойно взяла дочь за плечо и повела к машине.

— Поищем себе другое местечко. Здесь дурно пахнет. О моей подруге забудь. Многие спорные вопросы иначе не решаются.

Ляля не спала три ночи. Ей виделись кошмары. Девочка долго приходила в себя. В дальнейшем выяснилось, что она убила жену своего бывшего клиента. Ляля давно забыла эту историю. У нее своих накопилось выше крыши, но она знала, чем занимается ее мать и почему у нее всегда не хватает времени на дочь. Сейчас она ее возненавидела. Впервые в жизни встретила порядочного человека, да еще влюбилась в него, забыв страх, риск, совесть и порядочность. Все в ней это было. Но в микроскопических долях. Где-то в задатках. Но чего от Ляли не отнимешь, так это ее бесстрашие и презрение к риску. Тут она вся в мать пошла. И эту фразу «наше место в преисподней» она слышала уже не первый раз. По всей видимости, так и будет. Она свое место знает. Но сначала всех в пекло заманит и только после этого сдохнет.

В квартиру Ляля проникла легко. Что-то похожее на захламленный музей. Все стены увешаны фотографиями в рамках. И везде одна и та же женщина. На нескольких снимках она в полицейской форме. Тут Ляля наткнулась и на свою картонную коробку. Все ясно. Вот почему при допросе о ее тайнике ничего не спросили. Роман его унес вместе с ней, когда перевозил ее в квартиру в Текстильщики. Промолчал. А ведь в дневнике много чего написано. И нож он видел. И опять промолчал. А если он ее любит? Таких вопросов Ляля себе не задавала. Она взяла его силой и гордилась этим. Сейчас он нуждался в ее защите. Она сможет его спасти. Пусть даже ценой своей жизни, которую она не ценила. Она ею пользовалась, как мать, но ничего не хотела взамен. Теперь у нее есть Роман. И этот подарок судьбы она не отдаст никому и ни за что.

Одной коробочки оказалось мало. Она нашла другую, где хранились письма его матери да еще пробирка с марганцовкой и четкое описание страшного яда.

Она еще не знала, как поступить, но колбу
с ядом забрала, пересыпав его во флакон из-под
духов. Забрала и свою финку на случай обороны.
Теперь ей надо незаметно вернуться в дом. Роману пора делать перевязку.

* * *

Спектакль можно было устроить с боем, автоматами и прочей пестротой. Савва Артамонов
просто нанял десяток ребят и вырядил их в фор-
му ОМОНа. Эффекта не произошло. Люди спокойно въехали на территорию сервис-центра,
очень быстро нашли кабинет директора, и через
пару минут с Вадимом Коломийцем разговаривал подполковник. Удостоверение подлинное.
Коломиец сделал контрольный звонок в бригаду.
«Майор Чупра на выезде».

— То, что ваши люди легко опознаются, вам
известно? Все их данные фигурируют в дактило-
скотеке МУРа.

— Они давно уже ведут примерный образ
жизни. Многие висят на стенке почета.

— К стенке ставят. А портреты вешают на
доску почета. Где сейчас находятся Супрун, Мацкевич, Зухта, Борзунов?

— Надо спросить у начальника цеха. Если их
нет, то они заболели.

— Да. Посходили с ума. Взяты за убийство с крупнокалиберными винтовками военного
образца. Они у нас. Теперь мы приехали за вами.

Требуется очная ставка. Охрану можете с собой взять, но поедете в нашем автобусе. Наша охрана надежней. Тем более что вы задержаны как подозреваемый.

— Кого убили-то, можете сказать?

— На месте вам все расскажут. А вы ответите под протокол.

— Я должен вызвать адвоката.

— Он уже в пути. В вашем кабинете останутся мои сотрудники. Трое. Они проведут обыск. Понятых можете выбрать сами. И не тяните время. Мы едем в областную прокуратуру. Выстрелы произведены за окружной дорогой.

— Ладно. Посмотрим, что вы еще придумали.

Вадим взял со стола только сигареты и спички. За его спиной захлопнулись наручники. Его отвели в машину спецназа. Охранникам дозволили его сопровождать, но на почтительном расстоянии.

Джип «Чероки» с шестью охранниками держался на почтительном расстоянии от ОМОНа. Скандала никто не хотел. И все же казус произошел. Автобус на высокой скорости проскочил узкий длинный мост через Пахру. Под мостом пролетел катер, а когда другие заехали на мост, то в самой середине он провалился, как карточный домик. Похоже, на катере были лебедки, и они выбили стойки. Тяжелая машина тут же ушла под лед. Очевидно, глубина была здесь не маленькая. Никто не выплыл, а автобус с ОМОНом поехал своей дорогой.

Минут через пятнадцать они выехали на поляну с участком, огороженным забором. Только трудно было поверить, что здесь идут строительные работы. Даже столбов с электричеством не было. В калитку пропустили только Вадима. Он увидел то, что и ожидал увидеть. Шесть вырытых могил. Трупов всего три. Это были те самые. На одном из холмиков стоял Савва с лопатой в руках. За поясом у него сверкал пистолет. Судя по внешности, «вальтер» времен войны, но укороченный и покрытый никелем.

— Я бы таким оболтусам серьезного дела не доверил бы. Они же потеряли квалификацию. Супрун получил пулю первым. Затем Мацкевич и Зухта. Должен тебя огорчить. Ни один из них свою работу не сделал. Обоз и ныне там.

— Я так и знал, что Рита пойдет к тебе. Ты самое слабое звено, Савва, хотя и не лишен фантазии. Хочешь начать войну?

— Зачем? Были люди, и их не стало. С кем воевать-то? Ты уже не игрок на этом поле. Остальные против меня не пойдут.

— Ты забыл про Риту. Пока она не станет хозяйкой фирмы, никто из вас не выживет.

— А что она с ней делать будет? Где рабочие руки брать? Денег у нее выше крыши. Ты оказался лишним, Вадим. Но при Андрее мы процветали. Придется исправлять ошибки.

Савва достал пистолет и дважды выстрелил в Вадима. Тот упал в вырытую яму.

Савва вонзил лопату в землю и вышел из калитки. Переодетые омоновцы его уже ждали.

— Этих закопать, сровнять с землей и заложить дерном. У нас еще двое непойманных.

— Один. Но я думаю, он по своим работает.

— Двое. Риту тоже придется убрать. Я ей не верю.

Деловой походкой Савва направился к своей машине, на которой приехал.

10

Двое остальных в деле не участвовали. Рита их попросту отравила самым привычным образом во время застолья. Они ничего не знали о задумках Саввы и Риты. В это же время к ней на квартиру приехал Павел Мажуга. Еще один директор, но самый тихий и безвредный. Молчун. А Рита очень боялась молчунов. Он все носил в себе и был единственным, кто не сидел, оттого ему и доверили общак. Такого даже обыскивать не станут.

Он осмотрел обстановку и равнодушно спросил:

— Чем это их?

— Не знаю, пили все из одного ящика. Я не пила, а потому и выжила. Савва начал войну. Я даже знаю, где могила Вадима и его лучших людей. Следующие мы. Что скажешь?

— Я с Саввой не справлюсь.

— Он остался один. Я ему подсуну одну из бутылок отравленного ящика.

— Что ты хочешь?

— Фирма по наследству принадлежит мне. Андрей рассчитывал на мое чутье. Я ошиблась. Теперь надо взять все в одни руки. В твои, Паша. Ты самый грамотный. Будешь генеральным. Я же останусь хозяйкой, но без доли. Деньги у меня есть. О них поговорим, когда дела пойдут в гору. Но не сейчас. Мы должны защищаться.

— Этого делать я не умею.

Она передала ему пистолет.

— Спрячься в ванной. Сейчас Савва приедет проверять работу. Я сделаю испуганный вид. Ты лишь приоткрой дверь и пальни ему в затылок. Дело фирмы того стоит.

Немного помешкав, Павел согласился.

Непонятным образом, но все компаньоны доверяли Рите. То ли она их гипнотизировала, то ли они все еще не понимали, кто смог убить Андрея. Снежана присутствовала на вечере в день убийства и очень горевала. Выгода в деньгах отметалась. Все знали, что она богатая женщина и ей всего хватает. К тому же она понятия не имела о его любовницах, одна из которых и считалась убийцей.

Исчезновение Вадима и его людей могло поднять бунт. Вот тут Савва подходил на место киллера лучше всех. На него надо списать затеянную бойню, а потом можно взяться и за остальных.

Нужно затишье. Нельзя отрезать трехголовой гидре головы одним ударом.

Риту беспокоило главное. Вся тяжесть легла на ее плечи. Теперь еще объявился Роман с дружком, а Снежана стала помехой. Дочь и та свихнулась. Сошлась с мужиком, которого Рита до сих пор забыть не может. И все живы. Кирилл с дочерью Андрея пропали вместе с завещанием. Куда ни глянь, сплошные неприятности. И что делать?

Сегодняшняя операция прошла по плану. Так, как и додумывала ее Рита. Савва приехал один. Причем пистолет он держал за поясом. Вовремя она подстраховалась. Савва приготовил ей пулю. Выстрелить не успел, Мажура появился откуда ни возьмись и от страха выпустил всю обойму. Семь дырок, разбросанных по всему телу. Смертельным выстрелом оказался один. Пуля угодила жертве в нос.

— Нашумел, дружок. Полицию без нас вызовут. Надо сматываться. Завтра ночью соберешь главных. Я им все разъясню. Но никого лишнего, и проверь людей на оружие. Встретимся в актовом зале офиса Андрея. Туда лишние люди не пройдут. Его охрана все еще работает на меня.

Рита блефовала. Всю охрану она потопила. Автобус с ОМОНом поехал через другой мост, который почему-то тоже обвалился и с большой высоты ушел под лед. Уцелевших не осталось. Но охранники много знали о Рите. При допросе, да еще с умным следователем, могли сболтнуть лишнего. Хороший свидетель тот, кто умеет молчать. А молчать способны только покойники.

В эту ночь Рита должна вернуться в больницу. Она уже третий день лежала в институте Сербского по большому блату. Надо сказать, не зря. Врачи нашли в пациентке немало заболеваний психического характера. А Рите казалось, что она талантливо симулирует. Важно не перегибать палку, а то сочтут ее недееспособной.

11

Компания против Риты вновь собралась на зимней даче старика Матвея. Они будто в игрушки играли, а не решали судьбу отдельного человека. Все выглядело примитивно и наивно. Либо они недооценивали противника. Но как такое может быть, если собрались самые близкие ей люди?

— Она хочет оголить фирму, не оставив там сильных личностей, — рассуждал Глеб. — При банкротстве фирма возвращается ее законному владельцу без согласования партнеров.

— И что ей это дает? — спросил Роман.

— Давайте вспомним гостя из Англии. Похоже, только его она не обокрала. Человек, приезжающий в Россию, как к себе домой. С ним встречалась Снежана в «Савое». Галантный кавалер.

— Это сын лорда Стайгера, — поправила Снежана. — Но его интересовали только личные отношения. Она собиралась выходить за него замуж. Но таких было немало.

— Обычная сделка по купле-продаже. Она выходит за него замуж, и он скупает все гаражи и мастерские в Москве. Рабочих привозит своих, но официальной хозяйкой остается русская. Рита. По французскому паспорту она числится как Маргарита Пуартье. Вы должны помнить, что в Париже у нее еще один муженек скончался. Причины до сих пор не ясны. И англичанин долго не протянет.

— Тут все просто, — добавил Роман. — При малых дозах аминал натрия дает осложнения на слабые органы и усиливает воздействие в сотни раз. Может пройти год, но результат неизбежен. У человека слабое сердце? Значит, умрет от инфаркта. Слабые легкие — его ждет рак. Все зависит от крепости организма. Но диагноз всегда строится на слабых местах, подверженных разрушению в первую очередь.

— Ладно, вернемся к нашим баранам! — воскликнул Глеб. — Мы не дадим осуществить Марго ее черные планы. Но надо вернуться к сегодняшнему дню. Страшилки уже начались. Сегодня ночью был убит Савелий Артамонов. В его квартире было найдено четыре трупа. Острое отравление. Паленая водка. После убийства людей Вадима Савва вернулся в дом, где произошло отравление. Видимо, хотел проверить результат. Но был убит. Его поджидали в квартире. Павел не успел даже пистолет достать из-за пояса. Несмотря на то, что стрелок ему попался хреновый. Всю обойму выстрелил, а смертельное ранение только одно. Значит, не ждал нападения? И орудие убийство нашли. Пистолет «ТТ». Либо уронил, либо бросил с отпечатками, либо его выкрали и подбросили. Он сам указал на себя пальцем. Отпечатки Артамонова. Приехали, арестовали. Он ни от чего не отпирался. Даже указал место расстрела. Четверых убил Коломиец из пистолета «вальтер». Нашли у него за поясом. То есть он не сопротивлялся. Значит, Артамонов убил его последним и ушел. Могилы идеальные. Кто-то их готовил. А значит, Артамонов работал не один. Отравленные люди в квартире тоже из клана Вадима. Но с Артамоновым у него были натянутые отношения. О доверии говорить нельзя. Только Марго могла устроить эту бойню.

— Ей никто не нужен. Осталось трое партнеров. Их можно не считать.

Неожиданно подала голос Ляля:

— О войне я, конечно, не думала. Никелированный «вальтер» я украла у Романа на его второй квартире. Там он мой тайник хранил. Теперь не только обо мне все знают, но и о нем. Потом подбросила пистолет в сумочку матери при нашей знаменитой встрече. Я за Рому боялась. А если он стрелял из него? Но только она могла подсунуть пистолет Вадиму.

— Ничего мы сделать не можем, — обреченно сказала Снежана. — Я сделала сестре железное алиби. Уговорила своего психоаналитика положить ее в институт Сербского на неделю для обследования. Странно, но Рита тут же согласилась. А там решетки и охрана как в тюрьме.

— Как вам удалось на нее выйти изначально? — удивленно спросил Матвей.

— Спасибо умной собачке, дед Матвей. Набойки привели к трем квартирам. Мы их уже проверяли. С третьей произошла странность. Бабуся в лифте переоделась. Вышла на девятом этаже в шпильках. Пошла пешком вниз. Потопталась у квартиры Снежаны, а потом спустилась еще на два этажа и зашла в 108-ю квартиру, где нам никто не открывал. Взяли ответственность на себя и вскрыли дверь. Аккуратно, разумеется. Проверка показала, в ней никто не живет. Вид нежилой, при дорогой мебели. Цветы завяли, холодильник пуст, кругом бардак. В ней прописан генерал Духонин. Пятый год в отъезде. Военный атташе. Приезжает только в отпуск летом. Друзья семьи Снежаны. Давал ей рекомендации при поступлении в МГИМО.

Снежана ахнула.

— Я же следила за квартирой! Пылинки там сдувала...

— Ты месяц лежала в больнице. А Рита там устроила перевалочный пункт и свою резиденцию, — поправил Глеб.

— А как же мать?

Глеб достал резиновый чулок, в котором нормальная нога выглядела уродливой.

— Вот чем пользовалась Рита, приходя в квартиру к Снежане. Вероятно, она носом учуяла мое присутствие. Показуха была рассчитана на постороннего в спальне. Ей все удалось. А главное, убийство матери легло на плечи Снежаны.

— Так она ее убила?

— Тот же амитал натрия. Врачам заявила, что мать страдала сердцем, и вскрытие делать не стали. Тем более что прокуратура не нашла мотива. Все имущество записано на Снежану. Сейчас у Марго несколько паспортов. Один принадлежит Снежане, второй госпоже Снежане Злотвер, вдове Андрея, третий Снежане Пуартье — вдове французского промышленника, и четвертый, скромный паспорт безработной матери-одиночке Маргариты Пекарской. Все они действующие. С фирмой все в порядке. Мы нашли ее тайник. Завещание на фирму принадлежит ей. Она все же облапошила Андрея. Но в нем сказано о собственности. Доходы распределяются между дольщиками. Их семеро, вместе с Андреем. По завещанию Снежана Злотвер назначается генеральным директором и имеет один голос, как и другие, на перевыборах. Четверых уже нет. Павел Мажуга арестован ночью и дает показания. Отпираться он не стал. Но и Снежану не выдаст. Будет играть в благородство до конца. Впрочем, это неважно. Она же лежит в институте Сербского. Сильный стресс. Смерть матери, потеря дочери. Ляля пропала. По логике вещей, она должна сделать паузу в войне. Оставшиеся три компаньона особой силы не представляют. Ее задача — мы. Надо убить Машу. Главного претендента на деньги. Я и Роман ее не очень волнуем. Но лучше бы хлопнуть. Ведь все идеи исходят от нас. А Рита умеет ценить соперников. К тому же ее родная дочь стала личным консультантом для Романа, а родная сестра — для меня. Нам надо обрубить руки. Значит, в первую очередь на тот свет пойдут Снежана и Ляля. И опять же, они должны исчезнуть без следа. Их должны продолжать искать. Но уже как убийц своих любовников, которых она уберет чуть позже. Не забывайте, на Снежане лежат тяжкие преступления, и этому есть доказательства. Так Рита сделала снимки, где она же переодевается в Катю Левашову, мнимую убийцу Андрея. Но фотографировала она себя со шрамом на ноге. И подобного рода фотографий у нее много. Из ее машины шла съемка, как Рита бьет по голове Снежану. Рита зверь. Таких надо вешать.

— И как ты собираешься избавиться от очередной ловушки? — спросила Снежана. — Она же настоящий сценарист приключенческого кино.

— Тайник я ее сфотографировал. Но в нем лежала странная бумажка. Я сделал отдельную фотокопию, — Глеб положил снимок на стол. На снимке изображен скалистый берег реки, а у края обрыва стоял вбитый в землю кол с синим флажком.

— У меня есть догадки, но пока я не уверен.

Ляля глянула на фотографию.

— Я так и думала. Тридцать второй километр за Серебряным Бором. Там поляна. Летом проехать легко через пролесок, а зимой очень трудно.

Нужен джип. Мы там в волейбол играли. К берегу не подступишься. Скалы метров в семь, а там, где выставлен флажок, самое глубокое место. Метров пять. Машину накроет с крышей, и никто ее не найдет. До весны, по крайней мере. А зимой там мертвая зона.

— Тогда ее план понятен, — сказал Кирилл.

— Интересно, как она нас всех затащит в машину? — удивилась Снежана.

— С помощью отравы. Но мы ей сами поможем. На стоянке рядом с «Ауди-8» стоит «Лендровер». Джип с прекрасной проходимостью. Однажды Рита им пользовалась. Может, он тоже записан на имя Андрея. У тебя было полно машин, — таинственно заговорил Глеб. — Я проверил эту тачку. Стекла пуленепробиваемые. Ногой не выбьешь. С водительского кресла есть рычаг, блокирующий все двери, кроме водительской. Но ручка, открывающая переднюю дверь, съемная. Нас надо скинуть в воду, снять ручку и захлопнуть дверь. Мы в ловушке, а она выплывет.

— И какой твой план? — спросила Ляля.

— По планам у нас Матвей мастак.

12

Они ее вычислили, и это не было случайностью. Рита понимала, что находится под пристальным вниманием своих врагов. Она заканчивала завтрак, когда к ней подсели. Снежана, дочь и Глеб.

— Что вам от меня нужно? Кажется, каждый нашел свое счастье.

Она оставалась невозмутимой.

— Я хочу вернуть свой паспорт и нормально выйти замуж. Большего мне от тебя не нужно, — твердо заявила Снежана.

— Далековато ехать.

— Потерпим. Я тебе много времени уделяла.

— Хорошо. Ночью. Днем я нахожусь в стационаре. Черный джип «Лендровер» у правой стороны забора института Сербского. В девять тридцать вечера.

— А мне нужно опекунство Романа, — сказала Ляля.

— Но я не отказывалась от своей дочери.

— Откажись. Я с тобой и дня больше не проведу. Бланки я захвачу с собой. Они заполнены. Тебе только подпись на них поставить.

— Ради счастья дочери чего не сделаешь. А этому типу чего надо?

— Я так, за компанию и для безопасности. Мы поедем, но без оружия и всяких жидкостей. Пить захотим, снежку поедим.

— Ладно, согласна. Но это будет наша последняя встреча.

Никто в этом не сомневался. Рита встала и вышла в коридор больницы.

— Самое важное, что раньше девяти она отсюда выйти не сможет. Мы не даем ей шанса подготовиться, — с ухмылкой сказал Глеб.

Рита прошла по коридору и заглянула в кабинет профессора Каледина.

— Не побеспокою?

— Нет, нет, хорошо, что зашли.

Рита обошла стол и села на крышку, после чего подняла халат.

— Ты все еще хочешь меня?

Молодой врач покраснел, но взгляда от ног не оторвал.

— Получишь, но сначала ты должен выполнить мои поручения.

* * *

Машина их уже ждала. Глеб проверил все сиденья. Не то что оружия, но даже дамской сумочки не нашел.

У Ляли был небольшой рюкзачок. Она все же запаслась водой и бутербродами. Куда едут, не знали, но если речь шла о Серебряном Боре, то на север. Когда все расселись по местам, дверцы защелкнулись. Все так и должно быть. Глеб сел впереди, рядом с водителем, а Снежана и Ляля на заднем сиденье. Машина взяла курс на север. Ехали молча. Ляля время от времени попивала воду. Уехали уже далеко, дорога плохая, хороший был лишь свет фар. Два дополнительных фонаря на бампере и два на крыше.

И вот момент неожиданно настал.

— Ты что там пьешь? — спросила Рита свою дочь.

— Пепси, сладкая. Тебе не понравится.

— Ладно, дай пару глотков.

Ляля достала из рюкзака другую бутылку. Рита

отпила из нее, и у нее начали слабеть руки, а они уже ехали через пролесок к полю, а за ним овраг.

— Держи руль! — скомандовала Снежана.

Глеб буквально сел на колени к Рите и взял управление на себя. Рита уже не подавала признаков жизни.

— Тормози, Глеб! — крикнула Снежана.

— Не смей! — гаркнула Ляля. — Делай все по плану. Разгоняй машину. Вот столб с синим флажком.

Они оторвались от земли. Машину по инерции несло вперед, потом снижение, удар об лед, и «Лендровер», расколов его, начал погружаться. Ручка двери сработала, но ее приходилось держать ногами. Напор воды давил на дверь, пытаясь ее закрыть. Первой с заднего сиденья перелезла Ляля, Глеб ее вытолкнул наружу, когда машину уже накрыла вода. Следующей полезла Снежана, у нее застряло пальто, пришлось скинуть. В ледяную воду она вынырнула в одних брюках и свитере. Последним с большим трудом выбирался Глеб. Дверь на него давила. Он просунул руку, чтобы она не захлопнулась, и с огромными усилиями выскочил из машины. Дверь тут же закрылась, оставив труп Риты в своем наполовину заполненном водой салоне.

От берега к ним подплывали две лодки. В одной сидел Роман, во второй Кирилл. Куча одеял горкой лежала на корме. В первую очередь надо согреться, а потом бежать в ждущую их машину. Как и было обещано, Ляля получила подписи на бумагах, а вот с паспортом Снежаны не повезло. До него так и не доехали. На обратном пути пили водку из горлышка.

— Где ты взяла ее таблетки? — спросил Роман. Ляля лишь усмехнулась.

— Ее таблетки здесь ни при чем. Я взяла твою пробирку и изучила инструкцию. Она жива. В салоне полно воздуха. Но мать парализована. Самое лучшее, что мы сделали, это дали ей возможность слышать нас и понимать, что с ней происходит. Она сдохнет от холода. А потом переберется в печь. Рита же говорила, что ее место в преисподней. Дождалась своего часа и идет туда по собственной воле.

— Почему ты не дала ей смертельную дозу?

— Ну, не кипятись, герой. Думаю, моего папашку, прежде чем оставить в лесу, ты тоже не убил, а дал ему замерзнуть. Я же читала протоколы. Ты его куда-то увез, прежде чем вернуться за мной. Без меня, конечно, хлопот меньше, но что делать. Ты ведь теперь мне и отец, и муж, а главное, что я абсолютно свободна. И почему я тебя раньше не встретила? Но знай, ты единственный, кто знает обо мне все. Дневник мой читал?

— Не довелось.

— Врешь ты все. Но неважно. Теперь мы две половинки одного целого.

— Рано радуешься. Жить будем по моим правилам.

— Это мы еще посмотрим.

— Эй, а чего вы расшумелись? — вмешалась Снежана. — Лялька теперь моя дочь. Не зря же Рита говорила, что она на меня больше похожа. Так что ты своими бумажками не размахивай. Сначала докажи, что я не твоя мать. Всю жизнь мечтала о такой девке. Бог не дал. Я же бесплодная. Так что Глеб, скорее всего, останется моей мечтой. Ну, а дочку я не отпущу. Мы окучим все наши правила, перетасуем и выведем из них общий свод законов. А теперь, мальчики, отвезите меня в институт Сербского. Я должна закончить курс лечения.

Все как-то утихли. Хотели как лучше, а получилось как всегда.

13

В черте города все расселись по своим машинам и разъехались по домам. Снежана очень переживала за квартиру, доверенную ей под присмотр, и решила ехать на Таганку. Глеб последовал за ней. Сейчас о Рите никто не думал, будто ее никогда не существовало. Летала ведьма на метле и упорхнула к звездам, откуда возврата нет. Черные дни закончились. Можно с облегчением вздохнуть. Кавардак и впрямь напугал Снежану.

— Черт! Цветы уже не восстановишь. Придется покупать новые. А эта экзотика стоит бешеных денег.

— Кажется, вопрос денег тебя никогда не интересовал.

— Можно сказать и так. Папашка тот, что настоящий, оставил мне наследство. Я даже представить не могу, сколько кубышек он зарыл на кладбище. Осталось ли место для гроба. Но все это не деньги. Так, одно баловство. Деньги принесет фирма.

Раскрыв бутылку вина, Глеб присел на диван и нахмурился.

— Ты хочешь продолжить войну?

— А что ее продолжать. Они сами ее отдадут за небольшие отступные.

Снежана стала раздеваться. Промокшие вещи тело не грели. По ходу она выпила несколько глотков вина.

— Фирма на сегодня — это гора неосвоенных денег, лежащих мертвым грузом. Я вывела Риту на Гарри Стайгера. Вот англичане смогут навести в ней порядок, и тут уж никакие братки с ними связываться не будут. Главное, чтобы фирма оставалась российской. Так называемое совместное предприятие, а во-вторых, хозяин должен быть гражданином России.

— То есть ты?

— Какой же ты у меня сообразительный, Глебушка. Фирма всегда принадлежала моему второму мужу. Ее строительство стоило мне пота и крови. И тут пришла эта шпана и все отобрала. И мне пришлось сделать вид, что я стою на их стороне. Но люди с ножами за пазухой не могут делать большие дела. Они умеют резать. Вот я и решила их столкнуть лбами. И заметь. Все это происходило до знакомства с Ритой. Она обчистила моего делового партнера, бабника до мозга костей. Но тот знал все злачные места в Москве, и мы ее нашли. И тогда я решила ее использовать. Правда, она подумала так же, и мне пришлось разыгрывать дурочку. Но я понимала, что мне с таким монстром не справиться. Вот тогда я и начала набирать команду. Первой была Маша. Это я уговорила Андрея написать второе завещание на дочь. Как гарантию своей лояльности. Рита многого не знала о моих отношениях с Андреем. Она думала, что ей везет в жизни, как это и должно быть. Хрен то. Андрея подготавливала я. И завещание на фирму записано на меня. Я собственник, плюс один голос в совете директоров. Четверых убитых заменю иностранцами, и нас будет пять голосов против трех. И никакой войны. Все! Отстрелялись. Машка вернула мне завещание за пятипроцентную долю с бизнеса, и я ее тоже введу в совет директоров.

— Значит, она знала об убийстве Максима?

— Конечно. Стреляла-то в него я. А потом передала пистолет ему. Он был без перчаток. В панике он бросил ворованный «БМВ» и пистолет оставил на сиденье. За бедную девочку переживал. Теперь машина и оружие — прямые улики против него. А Машка будет крутить им как хочет. Тут и вы с Романом нам под руку попались. Спасибо за помощь. Одним махом убрали Семена Пекарского и Юрку Ратехина. О деталях рассуждать не будем. Ляля получала от меня инструкции. Сама девочка до таких тонкостей не додумалась. Но я пообещала ей свободу. Ну и деньги, конечно.

— Значит, все работали вслепую?

— Не все. Рита считала себя умнее всех.

Снежана сбросила брюки и чулки. Глеб остолбенел. Ни на одной из ног у Снежаны не было шрамов.

— Так ты Рита?

— К счастью, нет. Я даже могу повторить все нежные слова, что ты мне говорил по ночам. Откуда ей их знать?

Она достала из шкафа рюкзак, а из него два чулка из резины со шрамами.

— Увидев Риту, я тут же поняла, что должна отличаться от нее в худшую сторону. Вот тогда и придумала этот шрам. Кстати, Рита такой же захотела. На всякий случай. И я направила ее к тому же мастеру. Он просто сделал с первого копию, но Рите ничего не сказал.

— И в этом чулке она убила твою мать.

— Чудак. Она ей не мешала. Мать убила я. Туда ей и дорога. Слишком много знала. Кстати, детективы из вас хреновые. Правда, моей медицинской карты больше нет в поликлинике, но есть заключения врачей после аварии на шоссе. Отец погиб от лобового столкновения, мать сломала два позвонка. Ребенок, сидевший на заднем сиденье, увечий и травм не получил. Но этот шрам давал преимущество Рите, а мой пластилиновый характер стал находкой. Итак, Кирилл под колпаком. Все вещдоки целы, и он может быть объявлен убийцей. Маша будет свидетельницей. Она давно уже в игре и свою роль знает крепко. Роман в руках безумной Ляльки. Надолго ли? Не знаю. Матвей не в счет. Старый маразматик возвеличил себя до гения. Пусть радуется.

— А я-то тебе нужен? — усмехнулся Глеб.

— Пока да. Ты моя опора в мелких делах. И очень хорошо справляешься со своими обязанностями. К тому же ты меня устраиваешь в постели. Но мужем моим не будешь. Место забронировано за лордом Стайгером, который вскоре тоже умрет. Все на своем месте. Прекрасная команда. Ты и Роман тоже должны остаться довольны. Вы же отомстили Рите. Сегодня утром она умрет.

Глеб поперхнулся вином.

— Так она еще жива?

— А ты думал, от такой мегеры легко избавиться? В деле еще один человек принимал участие. Доктор Иван Каледин. Она предчувствовала очередную подставу. Пойти одной против троих. Проще исчезнуть. Как она думала, Иван перешел на ее сторону. Пришлось с ним даже переспать. В джипе под сиденьем лежал баллон с кислородом и запасной ключ от двери. Ничего она не пила, а лишь притворилась дохлой. Мы все выплыли. Она надела акваланг, открыла дверь и под водой проплыла за мыс. Там-то ее и поджидал Каледин. Она переоделась и вернулась в институт Сербского. Но хуже всего то, что у нее остал-

ся только паспорт на имя Маргариты Пекарской.
Все остальные паспорта у меня. А утром Рита Пекарская официально умрет. Перережет себе вены
скальпелем. Чего взять с сумасшедшей. Иван сделает ей успокоительный укол на ночь. Никакого
криминала, но за большие деньги. Скальпелем
орудовать он умеет. Вот в чем главный ключ. Рита не сбежала и не пропала. Она покончила с собой. Утрата матери, потеря дочери, сумасшедший
дом и полная нищета. Кто она? Мать-одиночка
без работы. По фактам все сходится. А главное,
она доверяет Ивану, интеллигентному профессо-
ру. Он ее последняя надежда.

— И наша тоже.

— От таких денег, Глеб, не отказываются.
В нашем мире на первом месте стоит не любовь,
а алчность.

— Мне можно сваливать?

— С какой радости? Жизнь продолжается.
И ты все еще мой.

Она подошла к нему и обвила шею, прильнув
к его губам.

Кто-то всегда считал Глеба счастливчиком
и ловкачом. Сейчас он чувствовал себя полным
идиотом.

* * *

У шоссе машина свернула вправо.

— Мы не едем в больницу? — спросила Рита,
выпив водки из фляжки.

— Нет. Наутро в твоей постели найдут труп
с перерезанными венами. Подходящего покой-

ничка мы нашли в морге. А ты пока поживешь в доме моего друга. Пусть они заканчивают начатое без тебя. Главное, что ты вычеркнута из списка живых. Факт будет зафиксирован, и я покажу его Снежане. Хоронить тебя никто не придет. По медкарте у тебя нет родственников, кроме дочери. Но она не живет по месту жительства.

— Ты единственный, кто не хочет моей смерти.

— Не знаю, что лучше. Ты стремилась в преисподнюю. Так ты в ней и находишься. А в могиле, кроме земли, ничего нет.

— Но ты же знаешь, что я не остановлюсь.

— Трудно сказать. Я тебя немного подлечил. Во всяком случае, ты сумеешь делать все по-умному. Ты же очень талантливая. За то я и полюбил тебя.

Впервые в жизни на глазах Риты появились слезы.

Вскоре машину съел предрассветный туман.

Скорее всего, это не печальный конец, а начало чего-то еще.

Литературно-художественное издание

МЭТР КРИМИНАЛЬНОГО РОМАНА

Март Михаил

ПРОКЛЯТОЕ СЕМЯ

Роман

Редакционно-издательская группа «Жанры»

Зав. группой *М. Сергеева*
Руководитель направления *Л. Захарова*
Выпускающий редактор *М. Герцева*
Технический редактор *О. Серкина*
Компьютерная верстка *А. Щербакова*
Корректор *З. Харитонова*

ООО «Издательство АСT»
129085, г. Москва, Звездный бульвар, д. 21, строение 3, комната 5
Наш электронный адрес: **www.ast.ru**
E-mail: **astpub@aha.ru**

«Баспа Аста» деген ООО
129085, г. Мәскеу, жұлдызды гүлзар, д. 21, 3 құрылым, 5 бөлме
Біздің электрондық мекенжайымыз: www.ast.ru
E-mail: astpub@aha.ru

Қазақстан Республикасында дистрибьютор
және өнім бойынша арыз-талаптарды қабылдаушының
өкілі «РДЦ-Алматы» ЖШС, Алматы қ., Домбровский көш., 3«а», литер Б, офис 1.
Тел.: 8 (727) 2 51 59 89,90,91,92.
Факс: 8 (727) 251 58 12, вн. 107; E-mail: RDC-Almaty@eksmo.kz
Өнімнің жарамдылық мерзімі шектелмеген.

Өндірген мемлекет: Ресей
Сертификация қарастырылмаған

Подписано в печать 11.02.2015. Формат 84x108$^1/_{32}$.
Гарнитура «Ньютон». Печать офсетная. Усл. печ. л. 16,8.
Тираж 2500 экз. Заказ 7559.

Отпечатано в ОАО "ПИК "Офсет"
660075, г. Красноярск, ул. Республики, 51
Тел.: (391) 211-76-20. E-mail: marketing@pic-ofset.ru

ISBN 978-5-17-084627-6